S'IL FAISAIT BEAU, NOUS PASSIONS PAR LES QUAIS

DU MEME AUTEUR

La cavalerie éduenne (E.F.R.).

TRADUCTIONS :

Capitaine Cook (Ed. Braun).
L'épopée de Gilgamesh (E.F.R.).
Chants Peaux-Rouges (E.F.R.).
Juifs du passé (Alta).

HUBERT COMTE

S'IL FAISAIT BEAU, NOUS PASSIONS PAR LES QUAIS

récit

LES EDITEURS FRANÇAIS REUNIS
21, rue de Richelieu, 75001 Paris

ISBN 2-201-01522-8

Peut-être était-il devenu, d'une certaine manière, mon fils. Toujours est-il que, depuis quelque temps, je me surprenais à mettre de côté de menues choses à lui raconter quand je le retrouverais à la fin de la semaine. Pour ne pas avoir à parler de moi, pour être fidèle à cette image que j'avais parfois donnée, au retour d'un voyage, d'un narrateur qui menait ses auditeurs fort avant dans la nuit. Sans doute. Mais bien davantage pour ne plus revoir le silence s'installer dans la pièce, et la fatigue sournoise s'emparer du visage de l'homme âgé, faire chavirer un instant son regard, tirer vers le bas les coins de sa bouche restée entrouverte et ne laisser en face de moi que l'image d'un jour redouté.

Aussi, un soir, entendant annoncer un concerto de Corelli et le prénom du musicien, Arcangelo, je fis le geste de mettre cela dans ma musette de la semaine pour mon père que les prénoms curieux comme Jésus faisaient sourire. Je me repris : il était déjà trop tard. Même cette infime chose, il ne l'aurait pas.

Cela faisait mal. Puis la douleur s'arrêta. Elle était si violente, si surprenante qu'elle ne pouvait pas durer. On voit bien la fumée continuer le feu, la traîne prolonger le passage de la robe... après un coup de hache, il n'y a rien. Mon corps était engourdi et, comme je fermais les yeux, il me sembla que les notes de la musique de Corelli devenaient les légers godets argentés d'une noria qui déposaient dans mes yeux des objets dérisoires, des scènes infimes me reliant à lui par des fils laissés en sommeil jusqu'à ce jour. Curieusement, comme si je m'étais trouvé derrière un miroir, je les tenais maintenant par l'autre bout, le sien, et j'étais à même, peut-être, de leur donner un sens.

Mon école — que ma grand-mère appelait quelquefois un « collège » — ce qui me faisait sursauter, car le qualificatif paraissait trop chic — se trouvait à côté de son bureau. Aussi, vers midi, je poussais le bouton de cuivre de la porte de la rue, montais deux marches, reconnaissais sa boîte aux lettres plus grande que les autres, même celle du médecin, et me trouvais face à la porte de droite. Je rectifiais une mèche rebelle, reprenais mon souffle pour m'attaquer à une poignée de porcelaine blanche. Elle était trompeuse : plus d'une fois, pour ne l'avoir pas « cigognée » (comme nous disions) des deux côtés, j'avais cru mon père absent. Je refermais soigneusement derrière moi la porte têtue. Malgré l'obscurité du couloir, je savais bien où j'étais. Tout de suite à droite — je n'y allais qu'avec lui — une pièce d'archives. De belles boîtes de dossiers vertes montaient jusqu'au plafond. A je ne sais quoi, je remarquais que les vitres et les rideaux obéissaient à d'autres lois que ceux de l'appartement. Au milieu de la pièce, comme un atoll surgi des flots d'un livre de géographie, une table prenait toute la place, invisible sous les dossiers dont certains serrés par une sorte de ceinture en toile. Près de la fenêtre, par terre, une merveilleuse bouteille à faire de la limonade : deux globes de verre superposés, entre les deux, un collier en étain et un petit robinet. J'imaginais le gaz d'un côté, l'eau sucrée de l'autre et le tout canné en prévision des explosions qu'un maniement inexpérimenté du fabuleux breuvage ne manquerait pas d'occasionner. C'était le même dessin de cannage que celui dans lequel je pouvais passer le bout de mon index puis seulement celui de mon petit doigt dans ma chaise, à table, et qui constituait l'impérative frontière qui séparait les sièges sur lesquels on ne pouvait pas monter, de tous les autres. (A quoi peut bien servir une chaise sur laquelle on n'a pas le droit de monter ?)

La porte suivante était celle du bureau

de mon père. Parmi d'autres objets étonnants, un coffre-fort sur le toit duquel on avait posé divers objets et papiers, peut-être un chapeau. Ce colosse n'en était que moins rébarbatif. A côté de la bête d'acier apprivoisée, un coffre à bois. Au-dessus, un tableau du genre annonciation-italienne-bois-doré. Une table portait une machine à écrire : cela m'attirait déjà un peu plus. Le grand placard aurait mérité d'être inspecté, mais sans doute n'y aurait-on trouvé que des livres et des classeurs. Devant la fenêtre qui donnait sur la rue, deux fauteuils à la silhouette cubique. C'est elle qui avait dû donner l'idée de remplir l'un de revues professionnelles très exactement jusqu'au bord. L'autre était, paraît-il, complètement crevé mais, justement, on s'y trouvait tellement bien qu'en cas d'attaque soudaine du sommeil, on s'y assoupissait « merveilleusement » une minute ou deux. Je crois bien qu'une fois il avait été surpris ou que, du moins, il avait touché terre de justesse. Sur le classeur voisin, une lampe de bureau : pied de bronze, globe vert foncé. A côté d'elle, dans un petit cadre brun, une photographie de son père assis dans un jardin, un chien près de lui. L'animal ressemblait à ce Phébus que je connaissais et dont j'étais loin de soupçonner la noblesse mythologique. Quant au visage de l'homme, il me semblait aussi près que possible de celui de Victor Hugo. Ou était-ce lui ? Mêmes yeux, sinon bridés du moins couverts, au-dessus du nez que l'on croyait identique parce que la barbe et les cheveux taillés court, blancs, étaient exactement les mêmes. Au mur, quelque part, une gravure en couleurs représentant le détail de *Bonaparte au Pont d'Arcole*. Je ne m'habituais guère aux cheveux longs mais j'entendais bien le frémissement des plis du drapeau. Sur la table, des piles de papiers aux quatre coins, un sous-main, un encrier, des feuillets divers en désordre vivant. C'était là qu'il fallait chercher un objet proprement fabuleux et souvent en promenade : il servait de presse-papier. De loin, cela ressemblait à un champignon. Quand on l'avait dans la main, on croyait déjà le recevoir sur le pied tant il était lourd. Cette fusée d'obus de la Guerre de 14-18 portait des anneaux couverts de chiffres, de lettres, d'encoches, et permettait de décider à l'avance du moment de l'explosion. Le dessous, de métal déchiqueté, était le spectacle même d'un écho sans fin de fracas destructeur. Du coup, on se voyait sur un cheval tout blanc, en grande tenue, et victorieux. On pouvait demander une enveloppe usagée pour jouer un peu avec la machine à écrire, ou laisser entendre que l'on voulait une nouvelle fois passer en revue quelques « trésors », merveilles ou souvenirs. Le fil du téléphone dessinait en l'air une dangereuse courbe noire ; et le tapis, au moins en un endroit, était un peu usé.

La porte d'en face donnait dans le bureau de la comptable. Des registres, une banquette de moleskine noire, un visage sereinement souriant, une porte vitrée qui laissait voir la cour.

Face à la pièce aux archives, le bureau du clerc. Il y avait là — où je ne touchais rigoureusement à rien — trois objets fort curieux. Un cornet acoustique, serpent vert foncé à tête noire utilisé autrefois pour communiquer avec le premier étage. L'immeuble avait été divisé, on ne pouvait donc essayer l'engin : à cette idée, je trouvais la vie en général et le monde des adultes en particulier fort mal organisés. A proximité de l'encrier, une boule couverte d'une croûte épaisse, ici noirâtre, et là mordorée, accrochée par un trombone recourbé. Le collaborateur de mon père y essuyait sa plume lorsque celle-ci avait pincé entre ses becs quelque « poisson » au fond de l'encrier. J'étais sûr d'avoir reconnu, dans le souffre-douleur sous ses écailles d'encre sèche, un authentique pompon de shako. Je déplorais un pareil assassinat.

La troisième curiosité, c'était une famille. Il y avait la machine, avec sa vis, son plateau de fer et sa poignée. Mais aussi un livre de feuilles de papier pelure. Et enfin, un bol assez plat ; il contenait un peu d'eau dans laquelle trempait un pinceau, large et clairsemé. On avait beau m'expliquer, faire la démonstration devant moi, il me semblait qu'on ne me disait pas tout, que toujours quelque chose m'échappait dans cette histoire de presse à copier. Cela tenait peut-être simplement à son nom : je voyais bien qu'elle ne copiait pas comme moi je copiais.

Monsieur Bruchon était un peu terrible, je veux dire terrifiant, mais il fallait bien l'affronter pour ne pas risquer de déranger mon père. J'entrais donc dans son domaine. Après quelques échanges de civilités où je me montrais sous mon meilleur jour, mais prudent comme un serpent, je demandais si je pouvais aller voir mon père. Si c'était oui, je filais. Si c'était non, j'attendais un petit moment et l'on venait me tenir compagnie du bureau d'à côté. Une fois, Monsieur Bruchon me demanda si j'étais déjà allé à Paris. Je répondis que non. Il ajouta que cela se voyait et se leva pour faire je ne sais quoi. Une minute après, mon père, passant par là, m'entraîna dans son bureau : « Avais-je dit bonjour à M. Bruchon ? Oui, et il m'a demandé si j'étais déjà allé à Paris. » Mon père me dit en souriant qu'il me fallait désormais penser à fermer la porte : c'était là une façon traditionnelle de faire remarquer cet oubli.

Nous nous préparions à partir pour la maison. Lui, je l'avais encore un moment bien à moi. Avant de faire tinter le trousseau de clés qui fermait tout comme « en chaîne », il me demandait si j'avais soif. Je disais toujours oui. Nous ouvrions alors la cinquième porte, celle du fond ; dans ce cabinet de toilette, il y avait un minuscule lavabo en fonte émaillée surmonté très haut par un robinet à l'allure d'oiseau. Le porte-savon était incorporé. Un essuie-main. Sur un rayon peint en gris, un verre à pied à facettes, seul, triomphal. Très haut, hors d'atteinte, il affichait noblement son espèce : bien différent de ceux qui étaient alignés dans le placard du vestibule, à la maison. Comme on ne l'essuyait jamais, il était tout ocellé de petits ronds de calcaire laissés par les gouttes d'eau. Je me demandais s'il n'avait pas été un peu détourné, s'il était normal qu'il soit là. Je lui trouvais la force du symbole d'un domaine. Ce qu'il était.

Puis mon père le remplissait et tenait prudemment sa main sous les miennes, crispées sur le calice, tandis que je buvais. Il me disait de boire lentement : l'eau froide fait mal.

Ma passion pour les objets de la préhistoire était un alliage. Si je ne puis faire le dosage exact des ingrédients, il m'est, du moins, possible d'en dresser la liste. Vue froidement (à l'époque, c'était un faisceau lié serré, un seul élan confondant tout), cela donnerait : trouver des trésors, gratter la terre, patauger dans la boue, rêver, collectionner, dépasser ceux qui savaient toujours tout, retrouver les choses dans les livres, partir de la maison, échapper aux éternelles équipes, rencontrer des gens nouveaux, prendre un raccourci en direction des adultes, faire des boîtes...

Il fallait commencer par situer les éventuels gisements. Le musée de la ville n'était pas cachottier : les grands cartons où l'on avait aligné les splendides pierres taillées, fixées par du fil en croix, portaient le nom du village et même du lieu-dit. Mon père mit quelques marques dans les volumes de mémoires de la société d'archéologie locale. J'admirais la noblesse d'âme des savants : ils donnaient jusqu'au nom du fermier et un petit plan du secteur pour que vous ne vous perdiez pas. Un nom revenait plus souvent que d'autres, celui du village de Saint-Denis. Muni d'un bref mot pour un vigneron, je partis un dimanche d'été, crispé sur le guidon, pédalant de toutes mes forces. Comme si j'avais risqué de manquer le rendez-vous avec les reliques des hommes préhistoriques. Vers trois heures de l'après-midi, je fis mon entrée dans la grand-rue du village, déserte, par une chaleur torride. Je me doutais bien que je n'étais pas très présentable, surtout pour un archéologue, même jeune.

Après une station à la fontaine, je serais peut-être toujours aussi écarlate mais en tout cas moins ruisselant de sueur et assoiffé. Tout en buvant l'eau glacée comme le Grand Ferré lui-même — et malgré lui — je me demandais comment trouver un guide dans ce village frappé de sommeil. A ce moment précis, une vieille paysanne vêtue d'une robe noire protégée par un tablier bleu surgit du vide à côté de moi. D'une voix aigre mais allante, elle me dit d'arrêter de boire « ça » et de venir me mettre à l'abri. Une minute plus tard, elle avait placé mon vélo à l'ombre dans sa cour et j'étais assis près de la grande table, sur une chaise de cuisine. J'essuyais mes cheveux dans mes mains et mes mains dans mes cheveux tout en regardant les cadres et le buffet, le calendrier et la pendule, les paniers empilés et le fusil qui luisait dans l'ombre. Un verre de vin, lui, au moins, ne me ferait pas de mal comme toute cette eau de la rue, il me donnerait des forces pour continuer. Je bus bravement. Les murs de la pièce commencèrent un tour puis s'arrêtèrent. Ainsi remis, je dis l'objet de ma visite et extirpai le mot. Le visage de la femme s'illumina ; elle frappa la table du plat de la main en disant : « Mais, c'est ici. » Marchant à grands pas en direction de la porte, elle annonça :

« Je vas vous le chercher. » J'en profitai pour aller prendre dans la sacoche grise de ma bicyclette de fille un petit sac de toile et un minuscule piochon. Suivi par la femme, un homme entra en s'épongeant. Il confirma que leur vigne, justement il en venait, n'avait pas cessé d'être un véritable filon depuis longtemps, longtemps. Il se souvenait même que lorsqu'il était un galapiat en culottes courtes, l'ancien conservateur en complet noir et chapeau de paille clair grattait la terre derrière la charrue que menait le père. Tous n'étaient pas « bons », bien sûr, mais en tout cas, parmi ceux du musée, il le savait, certains venaient d'ici.

Il avait même l'article quelque part. L'homme ajouta avec modestie qu'il s'y connaissait moins que son défunt père mais que, à force de regarder des « pierres de silex », on voyait bien un peu que certains éclats avaient été taillés par les « anciens » et alors là, rien qu'à les tourner dans ses mains, on sentait plus ou moins à quoi cela avait pu servir. La vigne était en pente, les pluies faisaient descendre la terre, voilà pourquoi l'on en trouvait toujours de nouvelles. Heureusement, car le « coin » commençait à être connu. Il en parlait comme d'un endroit pour la pêche.

Il venait toujours des gens plus ou moins envoyés par les uns ou les autres, même une fois un professeur de Suisse. Je ne savais plus si je devais admirer la générosité ou m'étonner de l'inconscience d'un propriétaire qui laissait ainsi des inconnus, et même des étrangers, glaner dans une telle mine d'or.

Je demandai à ce moment-là où se trouvait la vigne historique. L'homme répondit qu'il n'était pas question de me laisser aller là-bas en plein soleil à cette heure. C'était l'insolation. « Et qu'est-ce qu'il me dirait, monsieur votre papa ? » Même quelqu'un d'habitué ne tenait pas longtemps. A preuve, il en revenait justement quand il avait rencontré la mère...

Je me dis qu'après tout il était chez lui... en regrettant d'être passé — pour une fois — par les voies officielles. J'y serais déjà. Voyant ma mine, l'homme sourit : « Venez, elles sont là, toutes prêtes. » Ne comprenant rien, je le suivis, mon matériel à la main. Il ouvrit la porte d'une remise où trônaient quelques tonneaux. Après la lumière de la cour, je ne distinguai pas très bien ce qu'il me désignait dans l'obscurité. Puis, au bout de son doigt — était-ce une magie ? — le tas minéral se mit à luire faiblement, jouant avec nos trois ombres. J'étais ébloui. Et ravi, mais aussi déçu, car j'aurais voulu trouver moi-même. J'étais très embarrassé par son « Prenez tout ce que vous voudrez, je reviens. » On ne sait que faire dans de tels cas. D'autant plus que je devais tenir compte de ma qualité d'envoyé officiel. Je savais me comporter en braconnier, j'aurais même donné des leçons, mais ce cas nouveau me laissait perplexe. Prendre tout, n'en prendre qu'un peu, au hasard, en triant, rester longtemps, partir presque tout de suite étaient également malséants. Je décidai de combiner les méthodes. J'en regardais trois en même temps, mes mains tremblaient, je puisais de nouveau dans ce que j'avais éliminé. Bref, c'est avec un sac de la taille d'une demi-miche de pain, tout bosselé, et autrement lourd, que j'allai prendre congé de ces généreux mécènes de la recherche scientifique. Ils me dirent de saluer mon père et de lui annoncer leur visite à l'occasion d'un prochain jour de marché. Après m'avoir souhaité bonne route, ils assistèrent à mon départ.

Les pierres furent savonnées, brossées, séchées une à une comme autant de raretés délicates. Mais, en les regardant de plus près, je leur trouvais un air de famille très prononcé avec les simples cailloux du bord des routes : les fameux indices évidents du maniement par l'homme fuyaient mon regard et mes doigts. J'eus un serrement de cœur : et si on me les avait données parce que justement elles n'étaient « rien du tout » ?

Mon père sourit quand je lui racontai ma visite : elle confirmait son opinion que ces vignerons étaient de fort braves gens. J'allai chercher les cailloux que je croyais être les meilleurs. Son regard se fit évasif. Il commença une phrase : « Vois-tu, mon petit, si tous les silex avaient été taillés »... qui se continua par : « Voyons ce que dit le dictionnaire... » Un volume nous renvoya à l'autre. Au passage, mon père lisait une biographie ou la liste des sens d'un mot, s'arrêtait sur le nombre d'habitants d'une ville, la longueur d'un fleuve ou la profondeur d'un océan, disait : « Vraiment, le moindre acteur a sa bobine dans ce dictionnaire », riait et ajoutait : « Mais ce qui est vraiment bien, c'est que par la liste du début, on sait qui a écrit chaque article. » Il murmura : « Toutes ces sornettes de préhistoire, et les silex des fusils à pierre, les millions d'années, une race pour un seul crâne, et la tiare de Saïtaphernès, cela n'est pas scientifique... » Quand je protestai, au nom des peintures préhistoriques dont j'avais vu des photos, il dit d'une voix douce : « Mon petit, j'ai un doute, vois-tu », et ajouta que je devais maintenant aller rendre visite à l'abbé Goliard pour faire authentifier ma collection.

Le visage d'ivoire de ce curé de campagne lui donnait un air de spectre ; si l'on voulait se faire une vitrine de préhistoire, il fallait prendre son courage à deux mains. Sa soutane noire volait parmi les hautes herbes du jardin. Il m'entraîna vers une sorte de véranda changée en atelier. A son commandement, je vidai le sac sur la table. Ayant ajusté ses lunettes, il se mit à trier les silex avec une rapidité qui m'épouvanta. Et quelle assurance ! Un véritable jugement dernier : les recalés étaient expédiés d'un geste vif directement dans une vaste corbeille à papier. Il en resta finalement onze sur la table. Le souffle me manquait. Je me troublai quand il me demanda si je me souviendrais de ce qu'était chacun. Prenant alors un crayon, il écrivit : pointe, lame, perçoir, grattoir... A la dernière inscription, il leva la séance.

Je revins à la maison un peu triste d'être ainsi allégé, mais fort de l'authenticité garantie de ma petite élite. Je montrai les rescapés à mon père. Il regarda les dénominations marquées au crayon et, l'air évasif, me dit : « Tu vois. » Je voyais qu'il doutait.

Longtemps après, il me fit le plus sombre tableau de la compétence et de l'honnêteté scientifique des préhistoriens de la région. Le vieux docteur Gaton, ancien médecin militaire, n'avait aucun bon sens ; son gendre, un dentiste, avait continué ses recherches mais quand il s'était lancé dans la politique, on avait bien vu qu'il était dérangé. « Bien sûr, cela te passionnait, mais enfin, tu comprends, ton homme de Cro-Magnon, c'était peut-être un géant difforme que l'on montrait dans un cirque et qui s'est conservé parce qu'on avait spécialement soigné ses funérailles... Toute une civilisation sur un squelette... »

Les enfants méritent des prix de maniaquerie. Telle chose doit être ici et telle autre là. Cela les rassure, paraît-il. Pour les histoires, ils en surveillent le déroulement comme un rituel : le moindre écart est aussitôt sanctionné. S'il n'y avait eu que des enfants pour transmettre les épopées, on aurait pour chacune d'elles une seule version, un point c'est tout. Je faisais sans doute partie de ces petits rigoristes. Mais je suis sûr d'avoir appartenu à la catégorie de ceux qui veulent d'autres précisions que celles figurant simplement dans l'histoire. Il répondait aux questions avec autant de malice que de patience, même si cela menait parfois très loin.

La matinée du dimanche, contrairement aux principes de la biologie, engendrait spontanément des crises. Je crois que j'étais à la fois en retard pour tout, désœuvré (comme l'on disait), et que je me mettais dans les jambes des uns et des autres tout en leur demandant de me laisser tranquille. En fait — je le pense maintenant — j'en attendais trop, de ce jour-là. J'étais assailli de projets. Il y aurait encore l'après-midi, aussi je guettais le moment de partir avec lui au marché. *S'il faisait beau, nous passions par les quais,* mais le plus souvent par de vieilles rues qui sentaient fort. Je ne tardais pas à demander une histoire. S'il me laissait le choix, je prenais celle d'Ulysse. Où en étions-nous ? Dans la grotte du Cyclope, chez Calypso, Circé, Nausicaa... ou plutôt au moment du retour et des bouleversantes reconnaissances (il n'aimait pas beaucoup raconter le massacre des prétendants). Pour plus de sûreté, je disais que je voulais encore un peu le cheval de Troie.

Comme j'avais vu chez des amies une maison pour enfants faite dans un foudre, le problème du gros œuvre se trouvait résolu. Il restait à se faire expliquer tout le reste. Comment se présentaient les roues du gigantesque jouet, la charnière de la porte, la cheville qui servait de loquet, l'échelle rentrante, la table et les bancs, les provisions, les jambons, les galettes de pain, les fruits séchés, les outres d'eau, de vin, les couchettes, les souliers de cuir silencieux. Et si la petite équipe avait voulu se faire un peu de cuisine chaude ?... Eh bien ! la fumée serait sortie tout naturellement par les naseaux du cheval géant. Ces renseignements de première main sont sans prix : quand on voudra tourner un film sur la guerre de Troie, il faudra me consulter. Tandis que les Troyens empressés s'attelaient à un long cordage pour faire entrer l'animal divin dans leur ville, nous arrivions, après quelques étalages de choux et de pommes de terre sur lesquels mes yeux ne s'arrêtaient même pas, devant un tableau de chasse et de pêche. Les écrevisses tricotaient, les anguilles s'emmêlaient, la carpe jouait du battoir, le brochet épelait distraitement. Côté poil et plume, tout était immobile, répandu, peut-être encore tiède. Les ailes rapides avaient été convoquées au sol par les plombs et les merveilleux coureurs invisibles des bois trouvés par les canons des fusils. J'avais pitié.

Nous achetions les victuailles de la liste, partagions un peu la charge et prenions le chemin du retour. C'est en revenant du marché que j'ai entendu parler, avant de l'avoir vue, de la carpe d'Hokusaï qui se tourne vigoureusement dans l'eau. La main forte de mon père en imitait le mouvement brusque. Je questionnais chiens, chasse, fusils : les réponses venaient, naturelles. Je restais un peu sur ma faim quand je demandais comment un pêcheur, sans rien voir dans l'eau, pouvait savoir ce qu'il allait attraper (et dire par exemple : je vais pêcher le brochet) : mon père avait pris des truites à la main dans des torrents quand il était enfant, mais il n'était pas pêcheur. L'odeur, sans doute.

Un jour, l'histoire de la route obstinée des anguilles nous tint jusqu'à la maison

Dans l'escalier, je revenais à une question qui me hantait : « Est-ce qu'un aigle peut enlever un mouton dans les airs ? » Je ne disais pas « un enfant » mais, assurément, c'était sous-entendu. Il répondait en riant, mais nettement, ce qui signifiait que c'était son dernier mot : « Oui, si l'aigle est très grand et le mouton très petit. »

Je décidais sur-le-champ de poser un jour prochain la question autrement. Sans mettre sa clé dans la serrure, il essuyait en silence ses pieds sur le paillasson et j'étais bien obligé d'en faire autant.

Manaus était bien cette ville frappée soudain d'un coup de baguette magique dans sa forêt, au bord du fleuve. Des monuments, des places, un théâtre, grâce à la fièvre du caoutchouc. Ailleurs on se met à le produire moins cher. Et ici, ce sont les faillites, les drames, l'abandon, les ruines, l'oubli.

J'aimais le prolongement aquatique de la ville. Des maisons en bois, recouvertes de tôle ondulée, dessinaient un labyrinthe sur l'eau. Malgré les passerelles de planches qui projetaient l'eau sale à chaque pas, et se faisaient prendre pour de vrais passages, on se trouvait de temps en temps sur le seuil d'une maison. Le chemin de bois ne menait que là.

C'est donc en pirogue que je décidai d'errer dans cette cité lacustre dont les pilotis et les planches pourrissaient au-dessus d'une eau couverte de cambouis et d'ordures. La nuit qui tomba d'un seul coup transforma le spectacle en paraissant l'effacer. Une flamme, ici ou là, dessinait une pièce comme une cage peinte en noir où quelque oiseau lumineux aurait été tenu prisonnier. Ailleurs, c'était le feu qui se déplaçait au ras de l'eau, porté par une embarcation. La lumière, plus blanche, d'une ampoule électrique. Une bribe de chanson. Des clapotements. Les yeux s'habituent à l'obscurité. Des chuchotements font découvrir une bande de marmots assis sur le pas de leur porte. Leurs pieds jouent de la musique avec l'eau. Un bruit de liquide que l'on verse : un récipient qu'on vide. Un coup de lumière : une femme lave ses jambes brunes dans l'eau. Les profils bricolés des maisons font et défont sans fin des dessins aigus sur le ciel. Tout cela, noir sur gris, gris sur noir, noir sur noir, flotte sur l'eau, navigue sur le ciel, dérive légèrement dans mon esprit. Puis c'est une sorte de noyade.

En pleine nuit, sur l'eau, comment savoir où l'on est.

Juste en vie, soi.

Le départ était pour le lendemain matin avant l'aube. Je rentrai à mon hôtel (ou « pension »), pour y dormir un peu. Un lit de fer, une chaise de bois, un carrelage vallonné et éclaté, une descente de lit du genre serpillière, un véritable ciel vénitien dessiné par l'humidité au plafond et d'étranges poches dans le plâtre du mur que maintenait, comme elle pouvait, la peinture. Mais la hauteur des plafonds, la beauté des poignées de portes et des espagnolettes, la taille des moulures, les trois somptueuses fenêtres disaient assez que je me trouvais dans une riche demeure du Manaus de la belle époque. Qu'ils soient du Mexique, d'Espagne, du Portugal ou d'ailleurs, ces lieux m'enchantent.

La lumière y est belle à cause de la proportion des ouvertures, de la clarté du soleil, des laits de chaux colorés qui couvrent les effondrements du mur. Et ce dépouillement de la propreté usée jusqu'à la corde. L'absence de confort. Et de complications.

Je fus réveillé par un bruit de bulldozer défrichant une forêt. Tout proche. C'était impossible. Je changeai ma tête de côté. Tiens ! Je n'entendais plus rien... J'eus bientôt tué d'un coup de chaise un rongeur de taille modeste qui se débattait dans la paille sèche de mon traversin sous le poids de ma tête.

Mon sac était prêt. L'heure de partir, ou à peu près. Je montrai — pour le principe — le produit de ma chasse au veilleur de nuit en passant devant sa chaise. Il se contenta de hausser les épaules avec un « Et alors ? Il vous aurait pas mangé. » Pour lui qui devait fouiller son oreiller tous les soirs et secouer ses chaussures tous les matins, ce n'était vraiment pas une affaire.

Sous une pluie espacée et lourde, la voiture semblait rebondir de flaque en flaque. Les arbres d'une petite allée menant de la salle d'attente à l'hydravion multipliaient l'eau du ciel, l'emmagasinaient, puis la rendaient au centuple.

A part l'équipage, il y avait des caisses et des malles de fer, des sacs et des étuis, d'autres caisses, une sorte de gendarme et moi. J'étais assis à tribord sur une caisse aux coins de métal, solidement cadenassée. Elle me mettait la tête pile à la hauteur d'un hublot. Encore heureux ! (Je n'avais pas songé un instant à l'éventualité contraire.)

L'appareil s'enfonçait, se cabrait, vibrait. Des moustaches d'eau jaune puis blanche couvrirent les hublots. Une sorte de silence nouveau se fit. Le bateau était devenu oiseau.

Je n'ai pas oublié tout ce vert. L'eau brune. Les méandres immenses. La pente si faible que les dépôts d'alluvions faisaient d'une courbe du fleuve un lac. Pendant ce temps, jusqu'à nouvel ordre, le fleuve géant passait tout droit. L'eau morte, et claire avec ce reflet tout autre que celui de l'eau courante. Les troncs d'arbres à la dérive, quelquefois tout vivants avec la terre de leurs racines. Déchaussés par une poigne gigantesque. Les minuscules villages près desquels nous nous posions. Les pirogues, les hommes adroits qui prenaient à bout de bras les caisses. Il y avait même des bordereaux, des listes, des factures et des reçus à signer. Comme partout.

Encore du vert, d'autres arbres immenses dont on voyait le parasol supérieur. Le chaos d'une nature en folie se jetant sur un monde encore en désordre. De l'eau jusqu'à l'horizon à droite, mais aussi à gauche. Cela, vers la fin du voyage, car l'Amazone devient la mer. Je n'ai pas oublié la puissance du chant que j'entendais.

Mais, ce que le souvenir de ma mémoire me présente à nouveau souvent — peut-être tant que je ne l'ai pas écrit — c'est un trou d'eau verte presque rond. Tout seul. Pareil aux mares de mon enfance. Ni sentiers (ils se laissent bien voir), ni huttes (elles dessinent un trou). Et là, un mystère encore aujourd'hui total : à l'arrière du cigare brun, effilé, d'une pirogue, deux ronds concentriques jaunes. Un grand chapeau de paille. Un pêcheur. Un homme.

Dans la grand-rue, un calicot racoleur invitait à visiter la loge maçonnique récemment désaffectée. Je me demandais ce que cela signifiait. Il me l'expliqua. Je voulus entrer. Je tirai sur sa main. Son « non », tranquille, fut sans appel. Qu'était ma curiosité au regard d'un principe ? « Je n'y allais pas quand ils étaient là chez eux, je n'irai certes pas alors qu'on les en a chassés. »

Cette période noire dura jusqu'à un certain 5 septembre. Peu de temps auparavant, des explosions avaient soufflé tous les carreaux des fenêtres. Les intervalles des pavés, remplis de verre pilé rebelle aux balais, brillaient de millions de facettes. En prévision des coups durs, nous avions l'habitude de fermer les volets. Comme ils étaient épais, et cloutés de toile goudronnée à cause du camouflage, c'est dans une ombre fraîche que nous avons vécu nos dernières heures d'occupés. Nous nous sentions un peu comme dans le goulot d'une bouteille. Il y avait eu des bruits d'éclatements. Puis, le silence. Etrangement vide, tendu sur l'attente. Un double bruit s'est mis à grandir. Roulement, grondement et quelque chose comme le cliquetis des pièces d'une immense armure. Sur la place, deux volets violemment ouverts allèrent claquer contre le mur. C'était le signal. Dans l'instant, les nôtres leur répondirent.

Nous nous penchâmes à la fenêtre. La deuxième de la salle à manger, près de la sculpture en bois qui me faisait face pendant les repas.

On voyait le tube d'un canon, puis les chenilles et la tourelle. De haut, le char kaki paraissait plat. Le canon tournait un peu comme une tête de serpent qui inspecte. Hésitation. Puis la carapace, fermée, marquée d'une étoile blanche s'élança, ardemment, suivie de plusieurs autres. Je remarquai les panaches de fumée bleue et le balancement de grandes cannes à pêche de métal noir. Mon père posa sa main sur ma nuque. Je le regardai. Ses lèvres tremblaient violemment. Il me serra contre lui, disant : « Tu n'oublieras jamais ce jour. Nous sommes libres. » Et je vis ses larmes à côté des miennes sur l'appui de la fenêtre, tandis que des soldats casqués, à la souplesse nouvelle, progressaient par sauts, de porte en porte, le long des maisons. Un blindé traversa toute la place, en long et prit position devant la pharmacie. Son canon s'abaissa pour un tir tendu sur un objectif dissimulé par les maisons. Il y eut un craquement, puis le coup de gong d'une douille qui tombait sur le sol.

Une nouvelle période commença. Nous étions maintenant du bon côté d'une frontière mouvante dont nous suivions l'avancée avec autant de passion qu'auparavant. Les gens d'autrefois retrouvaient les petits drapeaux sur la carte...

Ce fut aussi le moment de revenir sur cette période de notre histoire qui ne nous avait pas été racontée. Je revois les fascicules avec leurs photographies de Londres en feu, leurs images des escadres de ces forteresses volantes dont j'avais déjà visité des épaves... et j'entends encore leur ton héroïque.

A la table de famille, des témoins racontaient. Mon père savait parfaitement écouter, sans interrompre. Mais il demandait parfois un petit retour en arrière pour mettre en place un chaînon qui lui manquait. Ainsi cet officier intrépide qui avait fait défiler les Vosges avec l'armée régulière, la Résistance auparavant, et un entracte en prison, s'entendait-il demander comment il s'en était échappé. En mon père, l'enfant qui avait dévoré les volumes des « évasions extraordinaires » bien longtemps auparavant, revivait. On n'oublie sans doute jamais la délicieuse odeur des amorces... L'officier répondit qu'il avait tout simplement payé le gendarme français chargé de le conduire d'un lieu à un autre.

Le lendemain, comme je reparlais de

ces exaltantes aventures, je le sentis lointain. Il me parla du gendarme qui, lui, était resté sur place : « De toutes façons, cela avait dû mal se terminer pour lui. C'était trop facile de montrer une somme fabuleuse à un pauvre homme... — Mais, alors, comment procéder ? — Eh bien, de façon à n'avoir rien à se reprocher. » Bien sûr, je voyais les choses avec la simplicité d'un montreur de marionnettes sicilien : Roland donne de grands coups de sabre et les têtes de bois enturbannées volent aux applaudissements des spectateurs. J'étais énervé par cette « morale » qui venait retarder l'action. Pour lui, c'était grave.

J'ai appris par hasard un de ses secrets sur cette époque. A l'occasion d'un emprunt de livres à la bibliothèque de la ville, il a demandé si l'on pouvait avoir la gentillesse de nous faire entrer dans la « grande salle » que je ne connaissais pas. C'est là que l'employé de la bibliothèque allait chercher les volumes qui n'étaient pas alignés dans la salle de lecture. Les simples particuliers n'y entraient surtout pas. Je fus émerveillé. Les livres, solidement reliés, montaient jusqu'au plafond, comme les pierres d'une infranchissable muraille. Pas un espace vide, pas un dos dépareillé, pas un indiscipliné qui se serait permis de se mettre à l'aise, horizontal ou oblique. Je décidai sur-le-champ de tout lire. Peu à peu. En commençant par un mur, un jour on parvenait certainement à l'autre, rayon par rayon.

En descendant avec lui les marches de la mairie, nos livres à la main, je lui demandai de quoi parlaient — comme nous disions — les plus gros livres, reliés en cuir, ceux qui étaient rangés tout à fait en haut. Il me dit que c'était, en entier, la bibliothèque d'une abbaye des environs, théologie, droit canon, commentaires sur des gloses, etc. Les avait-il feuilletés ? Oui. Il se retourna, désignant le balcon de la mairie : « C'est là qu'était accrochée la monumentale pancarte en lettres gothiques noires sur fond blanc : « Kommandantur ». Au-dessus, un tube fixé obliquement. C'est là qu'était enfilée la hampe du très grand drapeau noir blanc rouge à croix gammée. « Il ne venait presque personne à l'étude au milieu de l'été 40. Je ne pouvais penser à rien d'autre qu'à cette catastrophe. Et ces bottes qui, d'instinct, marchaient au même pas sonore dans la rue... Je ne pouvais pas... Alors, je quittais la maison vers deux heures, j'allais à la bibliothèque dans la grande salle que tu as vue, j'appuyais l'échelle sur la tringle de fer horizontale. Je lisais les livres qui étaient en face des derniers barreaux. Je tournais beaucoup de pages. Ainsi perché, on ne voit rien. Cela me faisait du bien. »

La boulangerie était toute proche : en se penchant un peu à la fenêtre de la salle à manger, on aurait vu sa devanture. Le magasin, peu profond, plaisait par sa netteté : marbre blanc et cuivres bien astiqués. La boulangère appelait chacun par son nom ; ses sourires, comme ses bouclettes, étaient les mêmes tous les jours, et du matin au soir. L'apparition du boulanger dans la boutique m'étonnait : ils étaient si différents. Lui, passait d'ordinaire une moitié du corps (dans le sens de la hauteur) par la porte du fond : une espadrille farineuse, une jambe de pantalon où le blanc l'emportait sur les petits carrés bleus, l'échancrure d'un maillot de corps et la tête d'un demi-pierrot surmontée d'un épi de cheveux lui aussi passé au blanc. Un grand couperet voisinait avec une balance blanche qui occupait véritablement le centre du monde. L'instrument disait silencieusement les grammes et les kilos, mais c'est avec un craquement accompagné d'une giclade de belles miettes brunes que la lame semblait elle-même vouloir vous gratifier d'une tranche supplémentaire.

Cette proximité commode engendrait de notre part une fidélité inconditionnelle : la veille d'un jour de fermeture, dûment prévenus, nous nous « avancions » en doublant la quantité. En cas de vraies vacances, le choix d'un autre boulanger aurait donné lieu à palabres. L'affaire était loin d'être de peu d'importance : chacun sait que l'excès de mie ou l'insuffisance de la cuisson peuvent rendre malades les enfants, en particulier ceux qui se « jettent » sur le pain frais.

A une certaine époque, c'était mon père qui passait prendre le pain en venant déjeuner entre midi et quart et la demie. Peut-être ma mère, en faisant d'autres courses, déposait-elle une petite note qui indiquait la quantité désirée.

Or, il advint qu'un jour ma mère me demanda de l'accompagner pour charrier la charge du pain. Tout se passa normalement, exactement comme d'habitude. Mais, comme nous franchissions la porte vitrée du magasin, la boulangère demanda, avec son meilleur sourire, si nous avions passé de bonnes vacances. Ma mère tomba des nues. On était en pleine année scolaire ! L'impassible commerçante feignit de faire marche arrière en invoquant un possible changement de la personne « de chez vous » qui venait.

La boutique dépassée, ma mère, la main devant la bouche, rit franchement : « En vacances... je vous demande un peu... c'est tout simplement ton père qui va ailleurs... c'est un de ses coups... il aurait dû le dire... de quoi avions-nous l'air... dans la gueule du loup. »

A table, mon père expliqua qu'effectivement... il avait changé de boulangère. Le pain était aussi bon, n'est-ce pas ? Eh bien, c'était l'essentiel. En plus, l'autre boulangère, qui tenait boutique dans une petite rue pas très loin, était aimable et belle. Cela changeait un peu.

A quelques jours de là, quand je passai le prendre à son bureau, il me dit : « Fais-moi penser à ne pas oublier le pain. » Aucun risque. Nous passâmes devant l'ancien fournisseur, ou presque ; je croyais sentir le regard de la femme dans mon dos. La petite rue était là, à droite, et à quelques pas, la minuscule boulangerie. Mon père me dit : « Tu verras. Elle est peut-être un peu... imposante, mais si gracieuse. Une belle peau, de beaux yeux. Le tour des yeux sombres, le teint jaune, c'est peut-être le foie... Un teint... ce doit être une Italienne. » Et dans sa bouche c'était un immense compliment (du même pays justement que *la Fornarina* de Raphaël).

Nous entrâmes. Mon père souleva poliment son chapeau. J'écarquillai les yeux, décidé à ne rien laisser échapper. Le regard noir de la belle dame brillait d'un air triomphal et complice à la fois. Ses lèvres fines s'ouvraient sur des dents blanches de petite fille. Le nez retroussé était ravissant. Je compris ce jour-là ce que tout le monde voulait dire lorsqu'on parlait de traits fins. Elle portait une robe bleu foncé qu'éclairait un galon blanc. Les épaules rondes et le creux du coude large, les poignets minuscules et les mains élégantes. Par-dessus tout, il y avait ce jaune uni, sans faille, cette couleur de farine de maïs qui allait du front au bout des doigts.

Dans le magasin, on ne voyait qu'elle. Ne bougeant pas de son tabouret, elle officiait avec lenteur, attrapant un pain à gauche ou à droite pour le peser. Elle rendait la monnaie royalement et parlait sans le moindre accent.

Le pain à la main, dans la rue, je lui dis que je la trouvais belle et avenante, mais peut-être un peu large... Je revoyais près de la balance, sur les côtés du trop étroit tablier blanc, la robe qui s'évasait généreusement. Il dit simplement qu'elle n'était peut-être pas aussi bien arrangée ce jour-là que d'habitude. Un rien pouvait suffire. « Sa robe brune la mettait mieux en valeur », et il ajouta : « On dirait Junon. »

Les livres ne racontaient-ils pas que les dieux de l'Olympe consentaient parfois à côtoyer les humains pour répandre des bienfaits, ou accomplir des choses surprenantes ?

Au cours de mes explorations « terrestres », il m'arrivait de tomber sur des pépites d'argile. D'un ocre pâle, le fragment de terre grasse conservait l'empreinte des doigts. J'accumulais les petites boules et les malaxais, prenant soin de les maintenir humides. Mais je rêvais déjà de modeler quelque chose et de le cuire. Un jour que mes questions pleuvaient trop dru, mon père me dit : « Je crois bien que je connais un potier. »

L'artisan demeurait dans un petit village des environs. Je me rendis chez lui sur ma fidèle bicyclette. L'homme me reçut bien. Son visage sculpté était surmonté d'épaisses boucles noires. Cela renversa complètement l'idée que je me faisais des artisans : ceux chez qui j'allais faire une commission m'avaient paru uniformément âgés et brusques. Leur esprit était particulier : lorsqu'ils plaisantaient avec moi, je me trouvais égaré, ne sachant que comprendre et encore moins comment répondre. L'homme me tendit son poignet droit en souriant : « Je ne vous donne pas la main » ; puis il fit tourner ses deux mains devant moi. Les paumes, humides, étaient comme nouvellement peintes d'une belle couleur de terre. Les dos, plus secs, étaient dissimulés par d'épaisses écailles craquelées.

Il me montra la terre, décrivit les opérations et se mit au travail. Je restai là, longuement, pelotonné sur un petit banc, près du bac à terre où s'écroulait parfois le double mou d'une forme reconnaissable. Juché sur un tabouret étroit, l'homme travaillait calmement devant son grand plateau tournant. J'avais beau concentrer mon regard, chaque fois un « truc » m'échappait : pourquoi ce pichet devait-il passer par tant de formes de vases parfaites ? Pouquoi le potier ne s'arrêtait-il pas là ? Pourquoi ne gardait-il pas ces amphores, ces bouteilles, ces jarres, ces cruches ? Et aussi, puisque l'on pouvait tout reprendre, pourquoi ce bol, en tous points semblable aux autres était-il soudain lancé d'un geste sûr en plein milieu du bac à terre ? Il me parut qu'il traçait sur le cylindre du début, comme des vaguelettes, des ondes de terre. Celles-ci étaient des alliées fidèles : il suffisait de les encourager un peu du bout du doigt pour qu'elles tirent un goulot vers le haut ou, au contraire, qu'elles conservent religieusement le dessin d'une forme ventrue alors qu'alentour, tout se modifiait.

Je n'osais pas l'interrompre. Encore moins toucher. Etant réservé, il imposait la réserve. Je revins en remuant au fond de moi beaucoup de mystères : comment de l'argile lourde pouvait-elle monter, comment de la terre, si molle qu'elle s'infléchissait sous la moindre poussée du doigt, pouvait-elle devenir un pot que l'on empoignait pour l'aligner sur la planche à sécher ? Rien qu'à penser à tout cela, j'étais bien sûr de ne pas savoir faire, jamais. L'homme au tour avait des secrets. Il les gardait bien : couper de la terre avec un fil, voilà tout ce que j'avais « assimilé », comme disaient les maîtres.

La rue Saint-Cosme était déjà dans un autre quartier de la petite ville mais comme le maréchal-ferrant officiait à deux ou trois maisons du début, passer le voir ne comptait pas comme un détour. Le long du mur, des anneaux de fer attendaient les énormes chevaux. Je mentirais si je décrivais le maréchal de l'époque, le rouge du feu, l'enclume et le soufflet. Nous restions dehors. C'est là qu'on adaptait le fer au pied du cheval. Trois hommes étaient penchés sur leur travail, à ce moment-là, cachant tout. Mais rien qu'à sentir l'odeur de la corne brûlée, je m'étonnais de ne pas voir partir en l'air tout ce monde-là. On me réexpliquait que ce très gros ongle était aussi insensible que mes ongles ou mes cheveux. Je n'avais vu que des jambes. Soucieux de ne pas gêner les allées et venues d'hommes pressés tenant fermement au bout de tenailles noires des formes craquantes d'étincelles, trous dans l'ombre, mon père était à sa place de spectateur, respectueux du travail des autres. Il devait aussi redouter pour moi quelque vague danger...

Le moment de partir venait. Tout en tenant sa main, je regardais longuement derrière moi. Se détachant sur le rectangle sombre de la porte de l'antre du forgeron, le cheval gris des tonneaux, et le roux des sacs de charbon somnolaient... Après tout, ces hommes noirs minuscules n'étaient-ils pas à leur service ?

La fois suivante, j'essayai de changer

mon angle de vue afin de reconstituer le film complet. Je voulais suivre le déroulement des opérations, commencer à la barre de fer et ne quitter les lieux qu'avec le cheval chaussé.

J'aimais sentir que, malgré son immobilité, mon père observait avec la plus grande attention les gestes du maréchal et de ses aides. Il l'avait vu faire cent fois. Cela l'émerveillait encore. Ce spectacle l'entraînait dans une longue rêverie, peut-être jusqu'aux chevaux de son enfance, qui, dans la cour, attendaient sagement de sentir un poids d'homme dans la légère voiture. Non loin, il y avait cette serre que j'imaginais comme une grande cage : elle était en fait, pour les oiseaux perdus et les perdrix blessées, un refuge dont la porte s'ouvrait bientôt. A propos de cette enfance dont les images jaillissaient vigoureusement, comme l'eau d'une nappe artésienne, il aimait citer Stendhal se disant obligé de se lever de sa table à écrire à cause de la violence d'une remontée de souvenirs.

Il revoyait des scènes précises comme la « vérité » de Jules Verne. Les adultes taquinaient le garçonnet trop crédule. Rageur, il avait couru chercher le livre, et l'ouvrant à la bonne page, il avait désigné la preuve irréfutable : le télégramme !

Une fois, j'avais réveillé un ancien lecteur d'aventures de Peaux-Rouges, inconnu de moi. Je décrivais la fine torsade de fumée qui trahissait quelques présences humaines parmi les grands arbres de la forêt amazonienne : son regard contemplait sa première Amérique.

Je le remarquai bientôt : il y avait pour lui deux sortes de maladies. Celles dans lesquelles on s'était mis, et celles qui vous tombaient dessus. Les premières se trouvaient être bénignes ; les secondes, graves.

Donc, comme il n'aimait pas la maladie, lorsque j'avais un rhume et qu'il venait s'asseoir au pied de mon lit, je ne devais pas m'attendre à être plaint. Au contraire, je m'entendais dire que j'avais refusé de me couvrir « par ce froid », que j'avais marché dans l'eau, que je m'étais mis en nage, que j'avais traîné dans les rues à me geler... Je trouvais cela amer : j'étais suffisamment trahi, livré pieds et poings liés aux mains — si je puis dire — des thermomètres, des bouillons, des miettes qui vous grattent et des siestes-volets-fermés... J'attendais la fin du sermon qui me peinait, car il était mérité, et promettais de faire attention la prochaine fois.

Il avait fait des études de médecine. C'est peut-être avec un œil sur ces souvenirs que, par jeu, il m'auscultait, faisait résonner mes côtes sous son doigt, ou regardait au fond de ma gorge avec une lampe électrique et feignait d'être effrayé par le gouffre palpitant. Tirant une montre plate en acier de la poche droite de son gilet, il prenait mon pouls, les yeux baissés, attentif à ce qu'il comptait. Nous étions tous les deux recueillis, ma main était dans la sienne, mon sang passait de mon cœur à mon poignet. Cueilli par sa main, il survolait sa montre et arrivait en lui, là où il l'écoutait. Et j'étais bien.

Puis il relevait la tête. Son visage s'éclairait pour dire avec humour que ce n'était pas encore trop grave. J'en profitais pour me faire expliquer le cœur, la toux ou les microbes. L'explication venait, toute simple. Un petit cercle où la chose se trouvait prise. Si je questionnais encore, j'avais à la fois une réponse et un cercle plus grand entourant le premier.

Il me demandait quel livre j'avais lu. Si je parlais des contes de Grimm, il frémissait : « Je me demande comment on peut lire des histoires aussi brutales. » Puis il riait en me demandant : « Et *frissonner,* l'as-tu lu ? » L'histoire de celui qui voulait apprendre à frissonner, « c'est vraiment une trouvaille extravagante, une idée que personne n'aurait eue. » Une fois, il alla chercher pour moi les *Contes du lundi.* Je déclarai que je les avais déjà lus. Il me dit seulement : « Tu peux les lire encore. C'est si bien écrit. » Je les repris donc, pour le plaisir, et aussi pour trouver ce que cette phrase mystérieuse signifiait : bien écrit ? un livre imprimé ?

Pour les maladies graves, son pas se faisait inaudible, sa main sans poids sur les poignées des portes : je ne l'entendais pas venir. Soudain, il était là. Attentivement, il procédait à un tour d'horizon : avais-je bien dormi ? avais-je mangé, et quoi ? le médecin était-il passé. Qu'avait-il dit ? S'il y avait une ordonnance, il la lisait soigneusement, ainsi que les notices des médicaments et, ces rébus déchiffrés, il hochait la tête. On arrivait alors à l'essentiel : avait-on mal ? et il fallait expliquer la sensation. Est-ce que cela passait un peu ? est-ce que ce n'était pas un peu moins que ce matin ou qu'hier au soir ? Il ressentait vraiment la douleur de l'autre, il l'exprimait si bien qu'elle était comme exorcisée. J'avais envie de rejeter mes couvertures, de bondir en criant : « Je n'ai plus mal », comme si tout avait été un rêve apporté par le noir de la nuit. Puis il passait à des détails infimes : ne faisait-il pas trop chaud dans la chambre ? avais-je assez de lumière ? Je suis sûr qu'il pensait même au désagrément du pli d'un drap.

Le nombre des choses diminuait sur la table de nuit, les oreillers paraissaient moins brûlants. On s'apprêtait à décider que c'était fini. Je devais reprendre progressivement. Faire un « petit tour ». Etre bien couvert, naturellement, peut-être même éviter certaines de ces rues où il semblait que le soleil n'entrait jamais : elles avaient l'art de garder en réserve, le reste de l'année, le souffle froid du vent d'hiver.

Il écoutait avec patience ma grand-mère raconter sa nuit. Elle avait entendu sonner un quart à l'église voisine. Prenant soin de ne pas s'endormir, elle avait attendu que la cloche annonce l'heure. Deux coups. Mon Dieu ! Puis tout, les quarts, les demies, les heures jusqu'à la « petite messe »... Cela dit avec une voix fraîche, l'œil clair, le teint reposé. Mon père murmurait en sortant de sa chambre qu'elle avait quand même dû dormir un peu. Et, pour moi, il ajoutait aussitôt : « Mais le temps est long, quand on ne dort pas. »

Même dans les chambres d'hôpital les plus isolées du monde, celles qui vous emprisonnent non seulement de leur couleur, mais aussi de leur odeur, le dieu facétieux du renversement des choses veillait. Tel Jupiter sa foudre, il décochait ce haut-mal, cette épilepsie passagère, cet étouffement gai, le fou-rire.

Il dut aller un jour à l'hôpital de la ville pour demander une signature à un homme âgé. C'était la première fois que je voyais une salle commune. J'étais impressionné. Plusieurs visages maigres au teint terreux se tournèrent vers nous. Quelqu'un se dressa sur son séant, le regard fixe. A l'instant même, mon père sentit qu'il n'était pas sûr de reconnaître celui qu'il venait voir. C'était la catastrophe. Une sœur qui passait par là (il riait des expressions indissociables créées par les gens qui disaient toujours « une bonne sœur », « les bonnes sœurs ») prit, sans coup férir, la situation en main, nous guida. L'homme était recouvert de la poussière du Temps. Réduit, comme un fruit bien sec. Il signa volontiers. Pendant qu'ils conversaient, je regardais par la fenêtre la rivière sous le grand pont. Mon père prononçait des paroles apaisantes : dans quelques jours on le laisserait sortir, il rentrerait chez lui ; d'ici là, il fallait se reposer, faire ce qu'on lui disait... Nous dîmes au revoir, fîmes quelques pas sur la pointe des pieds... Malheur ! cette visite avait réveillé l'âme de la Ligne, et l'impératif des horaires dans le cœur du vieux cheminot. Pieds nus, vêtu d'une chemise de nuit blanche, coiffé d'une serviette éponge, il nous suivait parmi les lits et les regards absents, en faisant des gestes prophétiques. Mon père essaya de le raisonner. Rien à faire. Mais quand ce nouveau Lazare lui donna du « Monsieur l'Inspecteur », ce fut la débâcle du sérieux. Entre un appel à la raison et une tentative de raccompagnement du ressuscité, il ne pouvait pas retenir son rire. Comme un poisson qui tire sur le fil, le vieil homme gagnait du terrain à la faveur de la paralysie de son interlocuteur. Mon père me souffla d'aller chercher quelqu'un. A la vitesse de l'éclair, le malade aux yeux vifs revint sur terre et réintégra sa couche. Longtemps après, ce « Monsieur l'Inspecteur », mot de passe de notre complicité, nous faisait encore sourire.

Une autre fois, en été, il alla rendre visite à une jeune fille nouvellement opérée de l'appendicite. Connaisseur de ces choses, il parla du soin qu'il fallait prendre — pour la cicatrisation — de ne pas rire. Il s'avisa alors qu'il faisait bien trop chaud dans la chambre. Le rideau était bloqué ? Il allait essayer de le manœuvrer. Monté sur une chaise, muni d'un balai, il tenta de pousser la glissière, Un instant après, la tringle sonnait sur sa tête et le rideau le transformait en fantôme. Il jurait (sapristi) et riait tout en s'efforçant de conserver son équilibre. La malade hurlait de rire et de douleur. Mais elle m'a raconté que les autres visiteurs se plaignaient à haute voix de la chaleur, lui passaient plus ou moins de force un linge mouillé d'eau vinaigrée sur le visage en assurant que c'était rafraîchissant. Certes, mais cela la faisait vomir.

Après l'épisode du rideau, il était simplement resté assis là, près d'elle, sans parler, serein, à regarder devant lui, longuement, tandis que le rectangle de soleil perdait du terrain sur le mur. Elle avait moins mal. Sans doute prenait-il de la douleur... Il se taisait s'il n'avait rien à dire, savait que le spectacle du mouvement fatigue : des années après, elle se souvenait de cette double attente lumineuse, de cet étrange mais véridique pouvoir d'endormir la douleur.

Le Pirée. Ce pourrait être le nom d'un navire que l'on croiserait en mer. Un matelot timonier vous prête ses grosses jumelles gainées de caoutchouc et portant le numéro de l'inventaire du bord. On lit à l'étrave, en caractères grecs, et latins en dessous : Saint-Georges, Le Pirée, ou Olympus, Le Pirée. Le long des filières, bien distinct, un homme court. Il arrive à la poupe et fait les saluts de pavillon. A bord, j'entends un ordre dans le haut-parleur. Nous répondons. La poupe défile maintenant face au soleil couchant. Je lis encore Pirœus un instant, puis les lettres s'effacent. Je revoyais chaque fois avec la même boule dans la gorge et la même chaleur dans la poitrine des images de mon premier voyage en Grèce. Mon chemin de Damas à moi. Retourné comme un gant. Le plus beau cadeau mis de force, pour toujours, dans mes mains. Les gens. Pour un enjambeur de ruines, pour un dévorateur d'inventaires de musées, pour un photographe de monuments seuls, pour un faiseur de croix dans les marges du guide, pour un échassier collectionneur de sites contrôlés sur place, c'était un rude coup. Déplumé l'oiseau, dépouillée l'armure, démembrée l'organisation. Donné le coup, mais aussi le moyen de le faire passer. J'étais venu là pour une chose si simple. Une couleur chaude s'infiltrait dans tout ce que je regardais. J'avais perdu ma cuirasse mais gagné des ailes. Qui pourrait m'atteindre ou m'inquiéter désormais ? A l'encre invisible, le mot bonheur figurait quelque part sur la liste. La croix que je venais de tracer à côté était encore timide, mais radieuse.

Dans un wagon du métro qui me conduisait de Monastirion au Pirée, j'étais debout en face de la porte. A un arrêt un homme monta. Bien habillé. Jeune. Cheveux noirs frisés. Visage classique où semblait muré quelque chose d'intense. De sa main gauche, il tira la droite de sa poche de veste et fit glisser la manche vers le haut. Du coude inutile aux doigts morts, c'était un affreux sarment blanchâtre. A peine ma pièce était-elle dans sa main que des femmes du wagon qui n'avaient pu le voir fouillaient déjà leurs porte-monnaie. Toutes. En quelques secondes, il eut fait le tour des voyageurs des deux compartiments. La tête baissée vers la porte, il attendait l'arrêt suivant. Avant de disparaître, il laissa un instant sur la glace de la portière le reflet de son visage marqué.

Ce récit, dont le héros semblait un bon samaritain aux cent têtes dans un train, fut soigneusement examiné. Les stratèges, grands malins, calculateurs, douteurs, analyseurs et autres pingouins savants entreprirent de me montrer les causes et les raisons des choses. Les mobiles et les motifs des actes. Tout de la vie en somme, pour que je sois désormais moins naïf.

C'était peut-être un jour de marché : une aumône portait bonheur aux affaires. L'homme avait sans doute menacé du mauvais œil et il fallait le conjurer. La vue du bras atrophié, selon la croyance de ce peuple, pouvait peut-être s'imprimer dans le ventre d'une femme enceinte. On le payait pour qu'il s'en aille. Les peut-être étaient de plus en plus ingénieux, ils volaient de plus en plus haut dans la culture. On parvint bientôt à la croyance antique selon laquelle les fous, les épileptiques ou les infirmes sont des messagers des dieux, car ils ont été frappés par la foudre. Il faut leur donner, sinon ils se vengeront.

Je me disais : merveilleuse bonté du peuple grec qui a inventé et transmis tant d'ingénieuses fariboles et de mécaniques superstitieuses ! Tout marche encore, et au bout du compte l'argent donné était bien vrai. L'infirme le tenait dans sa bonne main. Et toutes ces histoires avaient été mises autour de la compassion.

D'autres sont plus déshérités. La communication avec le fonds commun des peuples a dû se perdre en route. On les voit seulement sursauter aux salières renversées, contourner les échelles, croire à quatorze même sans treize et jeter des sous aux creux des fontaines.

Mon père s'amusait de me voir flamber dans ce rôle de plaideur. Mais la première pièce trouée que j'avais posée dans une main tendue, c'était lui qui venait de me la remettre.

Près de la porte de Damas, mon hôtel se trouvait dans le quartier arabe. Le patron était né à Amman. Ses mains, ses vêtements, son maniement de l'anglais, tout en lui avait la même élégance discrète.

Un matin, il me demanda si cela me ferait plaisir d'aller, en auto, à sa maison de Jéricho. J'acceptai avec plaisir. C'était le moment de Pâques et il faisait délicieusement bon dans sa voiture découverte.

Il me montra du doigt quelques monuments intéressants à la sortie de Jérusalem. Un peu plus loin, il désigna une colline qui dominait la route à droite : « Là, il y avait autrefois une auberge ancienne qui avait comme enseigne : *Le bon samari-*

tain. Plus loin, c'étaient, renversées dans le fossé, des carcasses de véhicules militaires. Dans un grand tournant, il me dit qu'il lui était arrivé ici même une aventure qu'il allait me raconter.

« Deux jours avant la fin de la guerre, j'étais dans cette voiture, avec ma femme et ma fille, allant, comme aujourd'hui, à ma ferme de Jéricho. Nous ne savions guère ce que nous allions trouver et nous avions préféré faire le voyage tous les trois ensemble.

Sur le côté de la route, je vis une forme étendue et freinai. C'était un soldat israélien qui portait une profonde blessure à la tête mais vivait encore. Dans le regard de ma femme, l'angoisse à l'idée que, certainement, « j'allais encore me mêler de cela ». Ma fille, elle, était muette d'horreur. Je fis manœuvrer la voiture et à nous trois nous pûmes le tirer, le plus doucement possible, sur la banquette arrière. Il y avait une longue traînée sanglante sur les coussins. Cela m'était égal. Ce qu'il fallait, c'était arriver le plus tôt possible à un hôpital que je connaissais.

Cent mètres plus loin, nous fûmes arrêtés par une patrouille israélienne. Ma femme et ma fille étaient mortes de peur. J'expliquai calmement les choses et refusai de leur confier le blessé. En effet, ma voiture était confortable et rapide. Il était important d'arriver vite, et je me méfiais d'un nouveau transbordement.

Ils parlèrent entre eux et, je ne sais pourquoi, j'eus l'impression qu'ils étaient embarrassés. Etait-ce un accident dans lequel ils avaient une part de responsabilité ? Je ne l'ai jamais su. Ils ont noté mon nom, le numéro de ma voiture et j'ai été livrer mon blessé (à temps, le médecin me l'a dit) à l'hôpital. »

Nous avons visité un petit musée avant d'aller voir comment on installait un nouveau moteur pour l'eau, à sa ferme, Au retour, j'ai de nouveau regardé le grand tournant. Une lumière chaude et dorée semblait passer sur le paysage et provenir de mon ami. Exactement ce halo clair qui se fait jour au milieu du désordre des hommes et des bêtes dans le dessin de Rembrandt qui illustre mot à mot le passage fameux : « Un homme allait de Jérusalem à Jéricho... »

Je n'ai pas connu mon grand-père, aussi demandais-je des histoires sur lui. Mon père racontait volontiers ces temps de son enfance en évitant soigneusement — je ne m'en suis aperçu que plus tard — tout ce qui pouvait assombrir.

C'était un médecin de village. Fils de paysans pauvres. Il avait perdu successivement ses deux femmes, et la mère de mon père peu de temps après sa naissance. En plus de quelque cocher-jardinier, une jeune fille du village venait tenir la maison, s'occuper des enfants les plus petits en attendant que sonne pour eux le moment de la pension et, sans doute, des larmes. Tout ce que je sais de lui tient en quelques pages mais, à travers cela seulement, je le vois assez bien. Loin d'être un empilement de photographies jaunies dans un carton à chaussures, ces histoires racontées avec précision font faire le tour de l'homme.

Il se levait de très bonne heure, déjeunait de pommes de terre cuites sous la cendre mises en place par une servante héroïque, sur pied une heure plus tôt. J'imagine la maison froide, silencieuse, le chien qui vient dire bonjour, le tapotement sur le baromètre, le coup d'œil à l'agenda.

Il mettait à profit la longueur des trajets en voiture à cheval pour se tenir au courant des nouveautés de la médecine en lisant des revues spécialisées. Faisant partie de ceux pour qui changer d'avis est faire preuve d'intelligence, comme disait mon père, il avait été immédiatement convaincu par les idées de Pasteur. Leur mise en application rigoureuse avait dû faire reculer la camarde dans son secteur. Ceci, ajouté à son dévouement, à l'oubli des notes d'honoraires, sans parler de sa distinction naturelle, faisait que, bien des années après, on ne l'avait toujours pas oublié. Mon père avait mal caché son émotion lorsque je lui avais raconté ma visite à son village natal au cours d'une tournée d'églises romanes. Quand on couche dans les granges, on est presque toujours matinal malgré soi. Aussi, ce jour d'automne-là, suis-je arrivé dans le bourg peu après sept heures du matin. Sur le comptoir du seul café ouvert, il y avait les verres de vin rouge de trois ou quatre journaliers qui fumaient silencieusement. Craignant la fausse note du café au lait, je demandai à la patronne la même chose. Puis, après quelques propos sur le temps, la route, etc., je m'enquis de ce qui était pour moi la chose la plus naturelle du monde : comment se rendre à la maison du docteur. La femme se prit de ses deux mains la tête aux tempes, coudes levés. Pas de doute, j'étais un revenant. Comment un garçon de seize ans aurait-il pu vouloir rendre visite à un homme mort depuis une bonne trentaine d'années ? Imaginez par exemple, toutes proportions gardées, qu'aux beaux jours du premier Empire, un quidam ait tiré la sonnette d'une certaine maison du quai de la Seine en demandant si c'était bien ici, Monsieur de Voltaire, l'auteur des pièces de théâtre. Prise de crainte, la femme cria : « Mais il est mort. Ça n'est plus lui. » Regrettant ma façon égocentrique de poser une question, je répondis doucement que je le savais puisque j'étais son petit-fils. Le plancher se serait effondré... « Mon Dieu, vous n'allez pas boire ça », dit-elle en saisissant, comme au vol, mon verre. C'était le plus urgent. Ensuite, soulevant la porte d'une trappe par la poignée de fer, elle cria fort : « Marcel, monte du bon. » Puis elle dit le nom du docteur. C'était pour lui. Quelques secondes après cet appel qui tenait lui aussi de la magie, l'homme faisait surface, au comble de l'étonnement. Il n'y avait, si je puis dire, pas de confusion possible, l'explication du mystère ne pouvait venir que de moi. Comme il écarquillait les yeux dans ma direction tout en parvenant par étapes à sa vraie taille d'homme, elle ajouta simplement : « Enfin, je veux dire, son petit-fils. » Elle aussi s'était mise à sauter les intermédiaires... L'homme à la salopette bleue éblouissante, aux avant-bras de bûcheron, remplit deux verres. Puis il dit : « Ah ! eh bien ! c'est pas rien ça. Ça fait quelque chose. L'ancien docteur. Ah ! c'est ma mère qu'aurait été contente de vous voir là. Elle l'aurait pas cru. Pensez qu'elle l'avait pas oublié. Ça avait été difficile. C'était pour moi. Moi qui vous parle, je suis né dans ses mains à lui. Mais je l'ai perdue l'hiver dernier. Le cœur. En dormant. S'est aperçue de rien. Enfin, tout de même ça fait rudement plaisir. Je m'souviens pas beaucoup de lui. Toujours un chapeau. En noir. Et puis la barbe blanche. Tenez, ça me fait un peu comme s'il était là. Mais, vous buvez pas. C'est peut-être trop tôt ? Peut-et' manger un petit quelque chose... La maison, je vas vous y mener. » Je ne me demandais plus ce que signifiait le mot survivre.

Parfois, à peine le docteur rentrait-il chez lui qu'un visiteur survenait, un paysan essoufflé, à pied, ou sur une bicyclette, un gamin sur un bourricot, pour lui demander de venir. Comment savoir si « cela pouvait attendre » ? Il repartait. Et la nuit tombée, après son dîner frugal pris très tôt, il somnolait dans un fauteuil en regardant le blanc immatériel des cendres, le noir du charbon, l'orange des braises, l'arc-en-ciel changeant des flammes. Comme ce soir d'hiver, un chat blotti sur lui. Le vieil homme (Victor Hugo non plus n'avait pas toujours eu barbe et cheveux blancs, mais c'est l'image) remua la jambe dans son sommeil. Le chat, perdant l'équilibre, planta ses griffes pour se retenir. Le docteur, réveillé par la douleur, lança l'animal loin de lui. Atterrissant sur l'échine du chien qui se trouvait là, il s'agrippa de plus belle. D'un coup de reins, l'ennemi traditionnel du félin l'expédia dans l'âtre. L'autre en jaillit sans mal, paraît-il, mais en hurlant. J'aimais cette histoire parce que j'enviais cette cohabitation avec les animaux : ni esclaves, ni stars de cinéma, chacun vivait.

La familiarité avec les animaux allait plus loin.

Dans le bourg, un minuscule cirque tenu par une famille de gitans commençait à s'installer à l'endroit habituel. Des enfants s'arrêtèrent. Quelques badauds firent cercle, engagèrent la conversation. Les villageois apprirent bientôt que le spectacle du soir était compromis : l'acteur principal, l'ours, avait une rage de dents. Si l'on jetait un œil par la fenêtre à barreaux du fourgon peint en orange, sans être savant, on voyait tout de suite que l'illustre danseur n'était pas dans sa meilleure forme. Il gisait, tassé dans un coin, comme une vieille pelisse. Ce n'est qu'en suivant le trajet de la chaîne et en découvrant le collier de cuir que l'on trouvait la place du visage enfoui derrière les grosses mains. Comme si même la lumière l'avait fait souffrir. L'épaisse fourrure brune se soulevait irrégulièrement entre les appels des gémissements pitoyables.

Pas de vétérinaire au village, encore moins de dentiste. Il y avait bien un docteur... Connaissant les usages, les romanichels aux anneaux de cuivre dans les oreilles gardèrent le silence et prirent un air désespéré. Un émissaire se proposa : « Un ours c'est plus ou moins fait comme un homme... Le docteur avait un petit garçon que le spectacle intéresserait... On pouvait toujours demander. » Le jeune homme partit en courant. Il ne tarda pas à revenir, le visage radieux : c'était oui.

Deux des gitans s'époussetèrent du revers de la main, passèrent avec ensemble leurs doigts bruns chargés de bagues dans leurs boucles brillantes. Une chemise était orange, l'autre mauve, les vêtements et les chapeaux profondément noirs, les courtes bottes éculées, fauves ; les deux hommes cliquetaient à chaque pas, si beaux qu'on eût dit des envoyés du Malin en personne.

On eut quelque mal à faire lever le fauve. Mais, une fois en marche, sans doute un peu soulagé par ce changement de décor, il trottina avec entrain, carillonnant lui aussi (de la chaîne) et ne prit aucun retard sur la cadence de ses deux pages. Comme s'il savait où il allait.

Un éclair de malice passa dans le regard du docteur quand il vit le farouche trio s'encadrer dans la porte du jardin, immobile sur le seuil. Les deux dompteurs tenaient leur chapeau sur leur cœur tout en roulant des yeux. Comment auraient-ils pu sourire en pareille circonstance ? Les dents serrées, un des hommes siffla légèrement ; plus hirsute que jamais, le danseur se mit debout et renifla abondamment, comme pour s'orienter. Nul ne sait ce qu'il avait repéré : la cuisine, le chien, ou la chair fraîche de l'enfant.

On leur fit signe d'entrer. A cet instant, le messager qui avait fait partie de l'escorte s'éclipsa prestement. Une opération ne passait pas pour un spectacle et puis... on ne savait jamais.

La table d'opération n'était pas loin : le robuste banc vert à l'ombre de cet arbre conviendrait parfaitement. De nouveau, l'animal geignait, passant ses griffes effrayantes sur sa joue. Les deux infirmiers ouvrirent la gueule, découvrirent la gencive. Le docteur avait eu le temps de voir la dent gâtée. Pris de compassion, l'homme de l'art tapota le cou du malade en lui disant : « Pauvre, bien sûr qu'il a mal » et, tout réjoui, car il savait comment opérer, aimait réussir, « on va te soulager ».

Après s'être éloigné un instant, il revint en gilet, manches de chemise retroussées. Dans sa main gauche, cela ressemblait à un ciseau de menuisier, dans la droite, un fin marteau d'acier. Serrés contre le malade, maintenant de la botte les pattes, et des mains la gueule ouverte, non sans la précaution supplémentaire d'une bonne sangle passée autour du dossier, les deux personnages assis figuraient une sorte de monstre mythologique enchevêtré. (Pour plus de sécurité, j'aurais mis un rondin enveloppé dans un chiffon entre les canines blanches. Peut-être y était-il, après tout. Je soupçonne le dentiste d'occasion d'avoir préféré prendre un petit risque et compter beaucoup sur la fameuse adresse.) Ce fut vite fait. Propulsé par un coup sec du marteau, le ciseau déchaussa la dent. Les mâchoires claquèrent avec le bruit sec des lames d'un piège à loup. Comme un escrimeur qui touche, le médecin s'était vivement retiré. Assommé de l'intérieur, l'ours était calme. Le docteur, persuadé de la bonté de la nature, dit simplement : « Un animal sait que c'est pour son bien qu'on doit lui faire un peu mal. »

Je crois que lui-même aurait payé pour que l'occasion pittoresque d'un tel exercice d'adresse se représente. C'était, bien sûr, gratis.

Les gitans s'en souvinrent. L'année suivante, ils vinrent respectueusement présenter leurs devoirs au médecin. Il y avait quelques billets d'entrée pour le cirque. Mais aussi un mystérieux panier à couvercle « pour le petit garçon ». Dedans, un lionceau. Les gitans partis, mon père plongea la main dans le panier. Et se fit griffer. De longs pointillés de boules rouges sur la peau transparente de l'enfant. Mon grand-père fit reporter « la sale bête », comme il disait, aux gens du voyage avec tous les ménagements de la délicatesse.

En fait, ils avaient apporté le fauve pour le montrer. Mais moi, enfant cheminant aux œillères de mon désir, je lui disais : « Sans cette griffure, nous en aurions des lions maintenant. »

Je crois bien que là, pour le coup, mon père levait les yeux au ciel.

Le portrait de ce patriarche modeste ne serait pas achevé sans un mot pour son entourage. Il y avait ces femmes vaillantes aux tempes en sueur, aux bras cassés par les charges, aux mains rougies par les lessives. Ces cochers au franc-parler comme celui qui racontait comment, alors qu'il était placé chez un hobereau du voisinage, il avait fait faire à son patron l'économie d'une course. Jour d'élection, il prépare la voiture. Son maître prend place et, au lieu de donner le signal du départ, interroge : « Jean, pour qui votez-vous ? — Pour les Rouges, Monsieur le vicomte », fut la réponse. « Bon. Moi, c'est pour les Blancs, alors vous pouvez dételer. »

Et ces aides aux fonctions mal définies,

qui devaient surtout rôder autour des marmites. Certains ne pensaient pas à tout. Ainsi, celui qui s'avisa de ravigoter le feu dans la cheminée en y jetant un bol d'essence. Cela ronfla et, l'instant d'après, on voyait par la fenêtre le pot de cheminée se planter dans la cour. Le maître de maison riait de bon cœur en constatant que la farce traditionnelle du potiron marchait toujours. On donnait une courge à livrer à l'autre bout du village en recommandant à la victime de tenir l'objet bien horizontal. N'étant ni Chinois, ni Africain, l'homme n'avait pas l'idée de la poser sur sa tête. S'il la tenait contre lui, elle lui cachait son chemin : il courait le risque de trébucher et donc d'égratigner le précieux fardeau. Tout à son affaire, le commissionnaire adoptait la méthode que les fourbes lui suggéraient : il traversait le bourg les mains jointes sur la tige minuscule. L'énorme fruit géographique heurtait à chaque pas ses jambes écartées et pliées. Les gamins s'appelaient, les bonnes gens souriaient au passage, amusés de voir que la tradition se perpétuait. Eux, savaient : la solution, c'est d'utiliser une ficelle ou un torchon.

Dans cette vie ascétique, ordonnée, régulière, il y avait un inattendu. C'était le vif plaisir qu'il éprouvait à voir les invités sortir de leurs gonds. A table, il y avait de quoi chavirer si l'on était pas très attentif : on servait plusieurs plats de viandes différentes et devant chaque assiette s'alignaient en batterie cinq verres dont un pour l'eau. A la fin d'un tel dîner, un évêque rappelait ses souvenirs de jeune missionnaire en Afrique. Dans la forêt, il s'assied sur une énorme racine. Voilà qu'elle se met en marche. Je vous le donne en mille... Un boa. L'élu socialiste de la région ne laisse pas échapper une telle occasion. Il se lève et va ouvrir la fenêtre. On lui demande s'il a trop chaud. « Non, c'est pour laisser le passage à ce boa-là. » L'ecclésiastique, cramoisi, demande que l'on fasse avancer sa voiture. Il clame qu'il veut s'en aller. Le docteur, parvenant à retarder la dynamite du rire, les apaise avec autorité et majesté.

Venant des papiers de l'aïeul, mon père m'avait montré une feuille de notes prises à la suite de la visite d'une exposition de peinture. Un œil juste, des mots sensibles, peut-être l'application d'un étudiant pauvre qui veut garder une trace de ce qu'il considère, à juste titre, comme une chance. Il y avait aussi, toujours dans son enveloppe, la lettre par laquelle le ministre de l'Instruction publique refusait de lui donner l'autorisation de se présenter à deux examens de médecine la même année.

J'ai entendu mon père dire — comme furtivement — : « Sur son lit de mort, c'était Jupiter. »

Et enfin, alors que nous parlions de médecine : « Quand un de ses malades mourait, il n'allait pas serrer de mains, ni suivre le convoi. Il était personnellement atteint. Pour lui, c'était toujours une défaite. »

Une différence d'âge d'enfance établit une distance. Le temps était venu l'annuler entre les deux frères qui s'écrivaient, je crois, souvent. J'avais, de mon oncle, le portrait que se fait un enfant d'une grande personne aperçue de loin en loin. Je voyais un visage rond, une peau rose, des lunettes cerclées d'or, des yeux bons et impénétrables. J'avais inventé que le tissu sombre de ses vêtements lui donnait l'air d'un banquier américain. Enfin, deux nouveautés prodigieuses : des boutons de manchettes en or et parfois un cigare.

En réalité, c'était le médecin du quartier pauvre d'une grande ville de l'Est.

Un jour que je dus me rendre dans cette ville, je décidai de prendre le temps d'aller explorer l'endroit. Qui sait ? Peut-être rencontrerais-je un voisin qui me dirait un mot de lui. Et cela ferait plaisir à mon père (pensais-je) de savoir que j'étais allé là, quand ce ne serait que pour repérer le numéro au-dessus de la porte d'entrée.

Serviables, les nouveaux habitants m'indiquèrent le nom et le lieu de travail d'un ancien voisin de palier. Son âge en faisait exactement un contemporain de mon oncle, donc un bon témoin. Au téléphone, Monsieur Martin, pas surpris du tout, me donna rendez-vous pour le lendemain à onze heures. A son bureau d'une recette municipale.

Le jour suivant, quand j'eus suivi l'injonction d'entrer sans frapper, je pus, à loisir, observer les lieux : le receveur, sorti, reviendrait de suite. C'est du moins ce qu'affirmait une pancarte de carton ingénieusement disposée sur la table de façon à frapper le regard du visiteur. Cinquante ans de registres. Des tampons, des cachets, un plumier, des porte-plumes, un buvard taché, un encrier en verre, garanti inrenversable. Une chaise et son coussin tout plat, une sorte de haut pupitre-lutrin pour la consultation des registres. Au mur, un calendrier entouré de quelques cartes postales. Sur la table, ces habituels figurants des natures mortes cubistes : un paquet de tabac gris et un carnet de feuilles de papier à cigarettes. Au porte-manteau, un béret bleu et une gabardine couleur du soir de la vie.

Un pas traînant. C'était lui. Je sursautai : Monsieur Martin, on aurait dit Bonnard. Le peintre lui-même, dans sa tenue habituelle : petit col et blouse grise impeccable. Les mêmes lunettes rondes et aussi l'air un peu grondeur. Je lui redis l'objet de ma visite. Il approcha une chaise pour moi et, après avoir extirpé ses mains de ses poches, afin de souligner son propos des gestes nécessaires, il se planta debout devant la fenêtre. Visiblement content de raconter au neveu son oncle médecin, il commença :

« Le docteur... je vais vous dire. Si je m'en souviens ! Je revois même son fiacre.

Il avait encore un cocher de l'ancien temps. Vous n'avez pas connu ça. Dans un quartier difficile. Le « faubourg des peupliers » que ça s'appelait. Connaissez peut-être pas. Ça s'est construit après la guerre. L'autre, je veux dire, pas celle-ci. On n'en finit pas. Mon père, il me parlait de celle de 70 et des Pruscos. Nous, c'était peut-être plus dur, mais on les a dérouillés. En Champagne. Tous les coups durs, c'est toujours là. Comme un fait exprès. Ça doit être le pays qui veut ça. Un terrain tout juste bon à faire des champs de bataille, que j'entendais dire. Ma foi, c'est pourtant vrai : entre les champs de manœuvre et la châtaigne, c'est bien du pareil au même. Et qui s'oublie pas comme ça. Pire. Comme la vermine, ça reste. Tenez, une fois, on va dans la région, c'est pas loin. Ma fille habite par là, Eh bien ! le gosse, voilà pas qu'en jouant, il trouve un morceau de balle. Vous pensez si je le lui ai vite ôté. Ma femme voit pas ces trucs-là, mais moi ça m'est tout de suite revenu, allez. J'avais beau pêcher à la ligne, tremper du fil dans l'eau comme on dit, je trouvais le moyen d'avoir un œil sur le marmot. A la chasse, on pourrait pas. Et puis, la chasse, c'est pas pareil. C'est plus cruel : un lapin, une biche, on voit bien que ça souffre, tout comme un homme. Le poisson, lui... Une journée de pêche, c'est quand même une bonne fatigue. Une fois, tout un jour avec le soleil sur la cafetière, ça a été de trop. Dans mon lit, en pleine nuit noire, je voyais encore briller le bouchon sur l'eau. Enfin, comme une rondelle de soleil à côté du flotteur. A force d'avoir fixé, pour sûr. Il y avait du gros et du petit, de la tanche et de la perche-soleil. Voraces, ces bêtes-là. Là où je vous disais tout à l'heure, c'est de la craie. Comme celle du tableau noir de l'école, mais plus solide, et en masse. Ça vaut le coup d'être vu. Les caves creusées dedans, et toutes les bouteilles alignées. Depuis le temps des Romains et peut-être même encore avant... Le meilleur, c'est pas forcément celui qui fait le plus de réclame. Ce qu'il faut, c'est connaître un petit propriétaire qui le soigne, son vin. Comme pour lui. Et pas cher. Ma femme avait un cousin dedans. Mais il a quitté : malgré les gilets de laine et les galoches, il tenait pas le coup dans la cave. Pourtant, il aimait bien. Un peu comme les mineurs. Ceux-là, je les comprendrais encore. Mais les pêcheurs qui vont jusqu'en Islande... Avec les tempêtes, l'eau qui vous gèle dessus et les énormes glaçons qui flottent la nuit ; je voyais l'autre jour sur le journal... Des fous. Les mineurs, bien sûr, c'est sale et tout. Mais au moins en est sur terre. Enfin, façon de parler. On peut tout de même pas tomber plus bas. C'est le plancher des vaches comme on dit. A propos des mines, pendant l'autre guerre, les caves, elles avaient tenu. C'est du naturel. Et les autres, après le bombardement, ça leur en a bouché un coin quand ils ont vu sortir des ruines les tirailleurs sénégalais. Tout noirs, juste les dents blanches, les yeux blancs et la langue rouge, comme leur bonnet. Des vrais diables, je les ai pas vus, moi, mais on me l'a dit. Bien sûr, il y a les histoires de colliers d'oreilles. Après tout, les morts n'en ont plus besoin, et allez-y voir si c'était vrai. Eux, c'est pas comme les autres, que le vin leur est interdit. Ceux-là, ils y avaient goûté. Ma foi, ils avaient eu bien raison. Perdu pour perdu, comme on dit. Et après tout, les autres les avaient bien abandonnées, leurs bouteilles. Alors, c'est à tout le monde, au premier qui passe. Et puis... comment on disait donc, déjà ? Vous n'avez pas connu ça. Ça reviendra. Avec l'âge, quelquefois... la mémoire... vous verrez. Mais le Champagne, tout de même, c'est pas comme le Bordeaux. Je disais à mon beau-frère de Paris — enfin, de Paris comme les Parisiens, il y est pas né —

c'est un vin pour les occasions. Ah oui ! voilà ce qu'on disait. Je savais bien que ça reviendrait. On disait : « Autant qu'ils auront pas. » Au fond, ils étaient des hommes comme nous autres. Le soldat, c'est toujours le soldat. De notre côté comme en face. Tout pareil. On n'oserait pas faire ça chez soi. Enfin, je dis pas que... Le major, il m'avait trouvé fluet. Cycliste, on m'avait mis. Mais voilà que je rencontre par hasard un copain d'école dans la cour. J'étais tout neuf, il m'explique comment faire, Emile. Il a mal tourné finalement. C'est tout une autre histoire, mais c'était pas de sa faute. La boisson. Oui, il levait le coude. Il jouait du clairon avec le litron. Il avait été entraîné. Et puis on comprend qu'il aimait pas bien être à son logement. Enfin, je veux rien dire... Attendez, que je finisse. Je me retrouve donc fourrier, puis secrétaire. Et puis, quand tout a été fini, je suis resté encore un peu. Y a toujours des bureaux, vous savez, même après qu'on a eu démobilisé les autres. Encore ensuite, j'ai vu une annonce. Ma femme m'a dit... Non c'est moi qui lui ai dit comme ça, je me souviens, c'était un lundi à midi : « Madeleine, cette fois-ci, je change. » Les gradés, les chefs quoi, c'est un peu comme dans l'armée. Ou chez les « biffins », les

« griffetons » comme on disait pour l'infanterie. Dans le civil, les gens sont peut-être plus sérieux. Dame, il y a la clientèle ; il faut bien. Et dans le service, obligés d'être plus coulants. Pas tellement le moyen de faire autrement. Dans l'armée, forcément, il n'y a pas de clients. Ou alors les autres, ceux d'en face, pour les obus, ce qui est tout de même pas pareil ! A propos de drôles de clients... Au fait... mais au fait... il est midi passé. C'est pas que je m'ennuie, mais à me parler comme ça, vous allez me faire manquer le rata... »

Vivement, la gabardine avait remplacé la blouse sur les épaules de Monsieur Martin. La montre, munie à l'endroit du remontoir d'une sorte de caoutchouc, passa du buvard au gousset et le béret parut trouver sa place par lévitation. Le visage tendu, Monsieur le Receveur était déjà loin. A cet instant précis, il me sembla voir son épouse prenant son élan pour une phrase de quatre-vingts minutes sans interruption. Chacun son tour.

A ce récit, mon père rit de bon cœur. « J'en connais un ou deux qui redoutent tellement qu'on leur coupe la parole qu'ils s'interrompent eux-mêmes d'avance... »

Pour changer de sujet, je lui demandai s'il avait déjà vu des montres ainsi agencées. « Oui, dit-il, cela n'est pas beau, mais très ingénieux. Le caoutchouc de bouteille de bière empêche la montre de sauter du gousset... (il sourit finement)... tu n'as pas tout perdu : finalement, le discours était amusant... et tu as même appris quelque chose. »

Mon père m'avait accompagné à la gare. Par gentillesse, pour que je ne sois pas déçu, il m'avait dit : « Des buissons secs, des temples en ruine, des coquins, Graecia mendax. » J'allais en Grèce. En fait, au fond de son cœur, il attendait déjà mon retour, justement comme les Grecs, pour le récit.

Il y avait à peine à parler des temples. Les photographies en ont tout dit et ce qu'il y avait en plus, je ne savais pas le dire : j'avais vu plus de photographies que de temples. Mais ce que j'avais au cœur et sur les lèvres, l'hospitalité et l'eau offerte, je pouvais en parler sans arrêt.

Passée la frontière, dans le train, j'avais parlé italien à mon voisin d'en face. Plus exactement, amorcé une conversation, puis répondu seulement, pour ne pas être pris. En bon bilingue, l'homme m'a dit, au bout d'un moment, que si je trouvais cela plus commode, nous pouvions parler français. Français, il l'était. Pourquoi me croyais-je le seul à être en voyage ?

A Brindisi, j'avais une demi-journée avant le départ du *Kolokotronis,* le bateau pour Patras. Dans le port, un homme assez jeune, boutonné strict, une sorte d'air pincé, me demande si j'aimerais visiter le port. Et comment donc ! Tableau des différents ports possibles à un endroit donné. Mais ceci n'est qu'apparence, d'autres exigences interviennent. Il fallait un peu de ci, un peu de ça ; bref, Brindisi avait le meilleur des ports dans le meilleur des Brindisi. Brève leçon sur les bateaux et l'historique de la navigation. La coque, la propulsion, tout va très bien. On en arrive aux mâts. Ceux-ci servent, une fois le bateau retourné, naturellement lorsqu'il est hors de vue, à gratter le fond. En effet, c'est là que se trouvent tous les trésors du passé et du futur. J'ai dû faire les yeux ronds, car il me dit : « Et pour preuve de ce que je vous dis, voilà. » Je consultai le feuillet qu'il tenait ouvert devant moi. C'était, en bonne et due forme, une autorisation de sortie d'un asile de fous de la région. Bien sûr, il me sembla que pareille chose n'arriverait pas en France. Il fallait venir à Brindisi pour cela.

Les parents agacent souvent les enfants en mettant sous leurs yeux des images d'un temps où ils ne se voyaient pas. Face à de tels témoignages, on se sent impuissant. Quel moyen de dire : « Ceci ne s'est pas passé comme cela » ; ou : « Oui, mais ce sont les circonstances qui ont fait que... »

Le plus ancien était assurément le temps qu'il faisait le jour de ma naissance : un gel à pierre fendre. Mon père, homme aux mains musculeuses sans qu'elles soient lourdes, avait aussi remarqué mes poings fermement serrés.

On citait ma précocité : vers deux ans, je mangeais la même salade que les grandes personnes. L'histoire n'a pas retenu les détails : ce devait sans doute être un spectacle ! Il y avait eu aussi l'imitation — à pleine gorge — d'un des cris de la rue, cet « archaupat » qui annonçait le passage du chiffonnier. On n'avait pas non plus oublié mon visage illuminé en voyant apparaître sur mon assiette la première pêche, grosse comme celles de la Terre Promise, ou peu s'en faut. Sans doute, des coups de pelle échangés avec des compagnons de jeux mais les oubliettes les ont accueillis.

Quelques cas de sottise notoire : j'avais été cet enfant à la bicyclette emballée dans une descente et qui hurlait : « Arrêtez-moi. » Une sombre histoire de retraite précipitée alors que j'avais vu dans la cour du « Chalet de la Vieille » (au nom passablement inquiétant) un chien faire quelques pas dans ma direction.

Le hasard a bien voulu m'offrir la contrepartie amusante de cette frousse. Je devais accompagner ma grand-mère chez la mercière du village. Quand elle annonça son intention de couper au plus court par un pré, j'objectai qu'on y voyait une vache. Comme aucun de ces animaux indolents « n'a jamais fait de mal à personne », nous franchîmes, la mince dame en noir et moi, la barrière du pré. Le bovidé s'élança. La dame leva courageusement sa canne à embout de caoutchouc et s'immobilisa. Puis nous contournâmes l'animal, sans le regarder pour ne pas l'exciter, ni lui donner (peut-être) l'idée de notre frayeur. Je tenais fermement son bras. Il tremblait.

Pourquoi me suis-je jeté dans une vague de Sanary plus grosse que moi ? C'est certainement en courant me repêcher que mon père prit la décision de me faire apprendre à nager le plus tôt possible.

Un de ces souvenirs supplémentaires avait trait à celui que mon père appelait le père Milon. L'expression ne valait pas manque de respect ; c'était une façon affectueuse de désigner un disparu qu'il avait eu comme employé en prenant l'étude. J'avais même oublié la minuscule histoire qui reliait ma préhistoire à son cœur quand un objet réapparut tirant tout avec lui. Mon père triait des papiers et je rôdais autour de lui, l'air de rien, vaguement à l'affût de quelque chose que l'on me montrerait. Ce qu'était un filigrane, comment reconnaître le parchemin au toucher, déchiffrer une ancienne écriture, savoir que certaines époques sont particulièrement rebelles, et ne pas croire que cet immense Louis au bas d'un brevet d'officier était de la main du roi. Calme démystificateur, mon père disait : « Il faisait écrire cela par son valet de chambre. » Un silence appliqué se fit. Il m'appela, me tendit un cahier couvert de moleskine noire. « C'est le carnet de dépenses du père Milon, je t'ai marqué la page. » Le lendemain du jour de ma naissance, mon père avait joyeusement annoncé la nouvelle et le vieil homme (que je vois vêtu du manteau de Gogol) avait inscrit d'une main aussi experte qu'anonyme : « Brioche (naissance) » et, dans la colonne des francs, le chiffre 2.

Si vous devez conduire une charrette à cheval la nuit sur un chemin difficile, la dernière chose à faire est de tirer sur la bride. Ne pas prétendre guider l'animal. Son sabot est sensible. Il tâte le sol avant de faire vraiment porter son poids sur le pied. Il faut avoir le courage et l'intelligence de se dire que l'on se laisse conduire par celui qui sait mieux.

L'oublier, même un instant, se paye. Une certaine nuit, le retour du mauvais réflexe produisit un accident épouvantable. La grosse roue ferrée d'un tombereau passa, à la hauteur de la hanche, sur le corps du garçon que le cheval avait renversé. Pour toute sa vie, sa démarche ne serait qu'un déhanchement, et pour les autres la sensation du tangage. Le regard que vous fixez tombe soudain de dix centimètres.

Louis, le petit compagnon de jeux de mon père était-il déjà séminariste, ou le destina-t-on à la prêtrise parce qu'il ne pouvait plus faire le paysan, je l'ignore. C'est une histoire d'enfance et, à l'âge que j'avais, je pensais plus au pauvre petit corps écrasé qu'à toutes les manigances. Avec une sorte de tendresse, mon père disait souvent simplement « Louis » en parlant de lui, alors qu'il désignait d'autres amis par leur nom de famille. Quelque chose se passait-il à propos des prénoms, faisant qu'à douze ou quinze ans on ne s'en servait plus ?

Le plancher de notre appartement était un peu plus haut que le sol du palier. Aussi, à l'arrivée, comme au départ des visiteurs, ma mère leur disait-elle avec gentillesse : « Attention à la petite marche. » J'aimais beaucoup ouvrir la porte, en général, pour la surprise et peut-être un peu la puissance que cela donnait. Sachant à l'avance que ce serait lui, je me précipitai, dès le coup de sonnette. Je préparai même la phrase habituelle. Mais quand le vieux curé de campagne apparut en face de moi, les mots ne sortirent pas. Je crus que la grande forme sombre allait tomber sur moi. L'homme transportait avec lui une marche manquée, mais une marche d'escalier de clocher. Le visage était coloré, les yeux rayonnants. De malice, et d'autre chose que je ne connaissais pas encore.

Au milieu du repas, mon père lui posa cette question : « Mais enfin, Louis, quand tu étais là-bas, que pensais-tu ? » (Il avait été déporté.)

Je revois la rue et la salle de cinéma. Le titre du film que l'on m'avait permis d'aller voir a, lui, sombré. Mais la bande d'actualités qui le précédait est encore là. L'avance des armées alliées en Allemagne. L'ouverture d'une fosse laisse apparaître au jour des alignements de pantins blancs désarticulés, des hommes. La pelle mécanique aplanit un monticule de lettres d'un alphabet toujours recommencé : tibias, bassins, fémurs, cages thoraciques, crânes aux deux trous noirs. Tantôt cela monte comme une vague, tantôt cela ruisselle, glisse, chavire. Une usine noirâtre avec son four, ses cheminées : de ces fournaises, des tuyaux ont répandu sur la campagne alentour la cendre des hommes.

Légère, mêlée, fertilisante pour les cultures et pour les herbes folles.

Comme dans un jugement dernier, tous ces pauvres morts me faisaient cortège avec leurs yeux crevés, leurs crânes ronds et leur enveloppe transparente. Je n'avais plus de passé. Il ne s'agissait pas de haine ou de vengeance. En me faisant naître parmi les hommes — ceux qui faisaient cela, et moi parmi eux — on m'avait roulé. Je datais des Assyriens, soudain, sans pouvoir le comprendre.

Le vieux curé n'hésita pas une seconde. Souriant, il répondit d'une voix assurée : « Je n'avais été qu'un pauvre curé de campagne boiteux toute ma vie. En ce moment, l'occasion m'était donnée de mourir comme les martyrs. Et puis je me suis dit que j'allais ajouter à ma vie ce qui lui manquait : la Passion. »

Un frisson passa sur ma joue. J'eus l'impression que mon regard fixait un cliché au millième de seconde. Une immense aile m'effleurait. Le simple repas paraissait transfiguré.

Le ton n'avait pas varié. L'affirmation de ce tranquille courage était aussi naturelle que la vapeur au-dessus du plat. A tel point même que, des années après, des témoins jurèrent ne rien avoir entendu de tout cela.

Lorsqu'un passage d'un livre va vous concerner tout spécialement, la page précédente émet une vibration, une musique.

Annoncé par cette stridence, j'ai vu apparaître ce curé de campagne dans le récit de la déportation de Michelet. Tel un illusionniste, un curé boiteux était sorti de la fameuse douche (lieu sans nom où, de captif survivant, on faisait de vous une tête de plus parmi le bétail rayé promis à l'abattoir), sorti donc, une mallette à la main. Dedans, de quoi dire la messe. Et il la célébrait. Michelet, lui-même croyant, d'aller parlementer avec cet original obstiné pour éviter de terribles représailles. L'autre faisait tranquillement observer qu'il était là pour cela...

Je me demande si la force d'âme d'un curé de campagne n'avait pas rendue invisible la petite valise.

Cartade, j'avais entendu parler de lui avant de le connaître. Et, bien sûr, comme d'autres enfants certainement, je disais : « Cartable ». S'il l'avait su, il en aurait ri, car ce médecin d'une petite ville du midi, homme imprévisible et imaginatif, aimait rire de tout, au passage.

Pendant la guerre, sa carrière de médecin militaire avait commencé sous le signe du cocasse. Son joli cheval, mobilisé comme lui, avait été sage durant le prélude d'une prise d'armes. Mais dès les premiers accents de la fanfare, il s'était mis à valser avec grâce, comme au cirque d'où il venait. Et le médecin-major, velours grenat au képi, cavalier novice, faisait, sur le front des troupes, tout ce qu'il pouvait, mais riait, riait...

Il ne s'était pas arrêté en si bon chemin et son insolence moqueuse à l'égard des « culottes de peau » l'avait vite rendu célèbre. Cependant, son dévouement détournait de lui les orages...

Une réunion politique nous valait sa visite. Il militait dans un vague parti qui arborait le P de paysan. Il savait quoi dire : son discours était identique à lui-même mais le trait final manquait. Avant la réunion, il dîna, consulta un livre d'art, un dictionnaire et griffonna d'une écriture batailleuse quelques lignes sur une feuille de papier. Mon père fut bien étonné, vers la fin de sa péroraison, de l'entendre décrire le fameux squelette de Ligier Richier, sur le tombeau de René de Châlons à Bar-sur-Aube. Mais il resta pantois en s'entendant désigner comme l'accompagnateur d'une visite imaginaire en ce lieu... Puis Cartade rugit : « Je lui dis alors : c'est la paysannerie qui tend son cœur à la France. » Le coup porta et l'orateur riait sardoniquement en revenant à la maison pour prendre un rafraîchissement.

Le lendemain, au déjeuner, il raconta quelques faits d'histoire récente. Il avait fait de la Résistance imprudente et s'était retrouvé, une nuit, dans un wagon bourré d'hommes à craquer. Persuadé que c'était entre Compiègne et la frontière qu'il fallait agir, il se rapprocha de la fenêtre, arracha les barreaux, les utilisa comme leviers pour agrandir le trou et sauta. Malgré une foulure, il avait marché droit devant lui. Bientôt un chemin, puis un carrefour et un poteau indicateur. Sur le panneau, le nom d'un village où il avait effectué un remplament des années avant. Et justement (vrai ou inventé ? disait mon père en hochant la tête ; mais il ajoutait aussitôt que bien des choses n'advenaient qu'à lui) il avait eu là l'occasion de montrer ses talents lors d'une naissance difficile. Son agilité aussi, car il avait plongé par la trappe laissée ouverte dans la cave où le père cherchait une bonne bouteille. Il avait (vrai ou inventé ?) retrouvé la maison, été accueilli comme le messie vingt ans après, puis abrité dans la fameuse cave jusqu'à ce que le ciel s'éclaircisse.

Il avait alors repris le chemin de sa sous-préfecture et participé à la Libération. La foule aurait eu besoin de victimes, aussi aurait-il fait conduire à la prison locale pour quelques jours des vagabonds étameurs, vanniers, rémouleurs et romanichels. Cette injustice m'horrifiait. Mon père, lui, gardait son calme. Il me rassura : Cartade préférait, dans tous les cas, l'invention à la vérité. Mais quand un jeune soldat du régiment, blessé et enterré par un obus, avait été abandonné entre les lignes, on avait vu ce myope maladroit se glisser sous les barbelés, creuser la terre avec ses doigts puis traîner par le col de sa capote bleue (on disait « horizon ») le blessé jusqu'à l'abri de la tranchée. Ensuite, il avait tout simplement refusé que les « gradés » lui donnent des ordres.

Mon père était capable d'être partial. J'étais bien content.

Impossible de savoir d'où celui-ci venait, ni comment nous le connaissions. Mais il avait eu un mot historique, prononcé sur un ton enflammé que mon père avait remarqué : « Le plus beau jour de la vie, le plus grand bonheur : se réveiller le jour de ses vingt-deux ans pour voir, sur la chaise près du lit, sa vareuse bleue avec les galons tout neufs de sous-lieutenant. » Cela ne me disait pas grand-chose. A lui, cela devait ressembler à un mot de Stendhal.

Le bonheur, il l'avait trouvé certains jours en entendant, à l'instant où sa clef touchait la serrure, le bruit de quelques pas pressés, puis le pianotage joyeux de ce que j'appelais « le petit cavalier », mais qui était en réalité « le gai laboureur ». Rappel lui-même d'autres bonheurs de rencontre avec la musique comme ce soir où rien ne nous pressait sous la pluie douce, tandis qu'un inconnu jouait Chopin chez lui. Nous étions à demi abrités par le renfoncement de la porte, mais oublieux de la pluie qui tombait : il y avait la musique donnée. Les mêmes bonheurs que tout un chacun, tout simples. Une guérison, un livre, un coin de paysage qui fait penser à l'Italie de la jeunesse. Des harmonies. L'été, se mettre à la fenêtre, regarder au-dessus des maisons les dessins des nuages tandis que les acrobaties des martinets modulent leurs cris stridents.

Et, en plus, un goût vif pour quelques pas faits à la nuit tombée, l'été, pour converser avec un proche sous le ciel étoilé.

En marchant côte à côte ; juste les voix, les cœurs, les grillons, pas les regards.

De toute notre classe de philosophie, non seulement Jean-Jacques faisait le plus homme, mais il avait même des cheveux blancs. Il portait une tenue identique toute l'année. Un imperméable militaire assez taché. Un chandail lie de vin d'où dépassaient parfois, vers le haut, une ou deux pointes de col de chemise. Point du tout valait mieux qu'une seule, car, entre les grosses raies, le blanc était toujours douteux. Un pantalon en drap gris tenu par une ceinture de cuir. Ses brodequins militaires, renforcés à la pointe et au talon, avaient été ressemelés de cuir et garnis de clous. Il les portait l'hiver avec des chaussettes et l'été sans. Comme il marchait très raide et en attaquant du talon, le vacarme qui annonçait son arrivée était formidable. Il prenait, au moyen d'un porte-plume trempé dans l'encre violette, des notes sur les feuilles de papier qui traînaient dans ses poches. Son teint était blanchâtre, ses gestes empêtrés, ses cheveux longs, raides et gras, ses ongles noirs, son nez déformé. Sa façon de s'étirer en rugissant ou de se gratter en classe parvenait même à dégoûter certains de mes condisciples.

Il eut bientôt sa place bien à part parmi nous. D'abord pour sa façon d'être rebelle à toute discipline, et même à tout classement, qui tenait du miracle. Ensuite, parce que ses répliques aussi fulgurantes que rares, et la profondeur de sa pensée nous confondaient.

Je le connaissais un peu mais notre amitié fut scellée en une occasion spéciale. J'étais, un jeudi après-midi, en « permanence », cette salle d'étude où l'on regroupait sous la surveillance d'un pion tous les élèves qui n'avaient pas trouvé le moyen d'être dehors. Il entra soudain, raide comme à son ordinaire, s'arrêta un moment pour chercher quelqu'un des yeux et vint droit vers moi sous les regards étonnés de tous. Il extirpa de son imperméable la moitié d'une baguette de pain et une pomme, les posa sur mon bureau en disant : « Je repassais devant le lycée, alors voilà. »

Les études nous séparèrent ensuite, mais,

à quelque temps de là, je parvins à mettre la main sur lui. Il n'avait pas changé d'un iota, à part le fait qu'il possédait maintenant une petite moto. Il me proposa de m'emmener chez ses parents, dans leur village, pour pouvoir parler tranquillement. J'acceptai avec plaisir, car je brûlais de savoir où en était sa quête des choses de l'esprit. Peut-être était-il déjà installé sur le pont qui relie les lettres et les sciences ?

Il faisait son affaire d'annoncer ma visite à ses parents. Tout se passerait bien. Son père était un gendarme en retraite, genre vieux cosaque. Sa mère était une femme *turque* (?) qui pouvait rester des heures à contempler une horloge. En revanche, la grand-mère était une dangereuse finaude à qui rien n'échappait et si nous voulions repartir de nos chambres pour dormir dans la grange et pouvoir parler, il faudrait l'amadouer (je me demandais bien comment...).

Il conduisait comme il marchait, avec raideur. Et, dans les tournants, j'entendais sa semelle gratter le sol. Tous nos camarades faisaient les acrobates ; lui, avait déjà dépassé ces vanités : sa moto avançait à une allure de défilé.

La maison était nette et chaude. Une simplicité antique qui paraissait m'adopter aussitôt. Ses parents étaient hospitaliers et sans doute contents de jeter une sonde dans les eaux mystérieuses des occupations de leur fils. Le moment de l'épreuve avec la grand-mère était arrivé. Mon camarade me laissa presque aussitôt seul avec elle. La conversation était une escrime. La vieille femme ressemblait à ces pies apprivoisées qui regardent les enfants avec un air câlin, les contemplent immobiles et, l'instant d'après, leur piquent du bec les mollets. Je vis dans son regard qu'elle était en éveil à mon sujet. Je pensai à la mission de l'amadouer dont Jean-Jacques m'avait chargé. L'inspiration s'arrêta net. C'était la catastrophe. Un chien entra en courant dans la pièce et nous prit aussitôt dans une sorte de huit affectueux. Pour relancer la conversation, je demandai comment s'était passé pour elle le temps de l'Occupation. Son visage s'éclaira. Cela, c'était une bonne question. « Ici, pardi. Mais voilà comment c'est arrivé. On entendait au poste tout le temps dire qu'ils avançaient. Puis on a vu un soir passer sur la route des cultivateurs d'un village à vingt kilomètres d'ici. La charrette à cheval, tout dedans, le buffet, les matelas, les assiettes. Le père aux guides, la mère sur le linge avec un petiot et deux gamins sur un vélo. Je me suis dit : c'est pour demain. Le lendemain, vers cinq heures, j'ai demandé à la voisine de m'aider à tirer mon fauteuil sur cette petite butte qu'est au fond du jardin. Elle comprenait pas pourquoi je voulais guetter là. Dans ce coin, il n'y avait qu'une maison de rien du tout. Cela pouvait venir que de là. Aux deux autres collines, il y avait des fermes avec des hommes. Je les avais connus quand j'étais gamine. Fallait les voir soulever la gerbe à la fourche. Fallait voir ce qu'ils mangeaient — sans parler de boire — le soir de la moisson. Les autres s'y risqueraient pas. Puis le garde champêtre a joué du tambour. Je me suis mise à pleurer. Un gosse qui courait est venu me dire que c'était fini. C'était plus la peine de veiller. Plus haut, ils avaient pas tenu. L'Occupation, vous me disiez ? Eh bien, j'en ai vu juste deux à vélo, un matin que je tendais du linge. En vert, les vélos noirs, les bottes, le fusil, tout, quoi. Puis l'été suivant, on a été délibérés. »

Nous fîmes un peu les braves devant la bouteille de marc du vieux cosaque. Et, dans la grange, mon ami Jean-Jacques, tandis que nous nous tournions pour faire notre place dans le foin, commença la très longue histoire de ses occupations présentes et de ses projets. Il était inscrit en PCB, mais faisait de la philosophie et de l'allemand. De plus en plus, ses mots se perdaient en route et mon cerveau n'accrochait plus les wagons. Je n'en sus pas davantage, car le lendemain il m'expliqua des trucs de braconniers. La grand-mère ne révéla pas qu'elle nous avait entendus passer.

A quelque temps de là, c'était au mois d'octobre, il sortit de terre devant moi, dans une rue de Dublin. Assez en loques, il avait survécu grâce à des leçons de français mais venait de se mettre à un régime d'économies très strictes. Justement, je pouvais l'aider à accomplir une opération un peu délicate. Il me demandait simplement d'apparaître et de faire le meilleur effet possible. Après une immense déambulation soutenue de thé fort et sucré, de quignons de pain qui nous étouffaient, nous arrivâmes en vue de la maison. Il demanda au conducteur d'un véhicule (je ne sais pas pourquoi, je vois une voiture à cheval... est-elle inventée ?) de nous attendre devant la porte. Comme Jean-Jacques m'avait dit « n'avoir que quelque chose à prendre sans trop se faire remarquer », ma mission était facile à remplir. Après m'avoir présenté au propriétaire, il fit sonner ses godillots sur les marches qui menaient à sa mansarde. L'homme était affable, ravi de situer un peu mieux son locataire. Nos études, racontées par moi, ressemblaient à une histoire édifiante. Un bon point. Mes idées sur l'Irlande et l'Angleterre étaient conformes. Encore mieux. Nous tendions tous deux nos mains au feu en renchérissant de déclarations et de démonstrations. Tout était donc parfait.

C'est à ce moment que cela se produisit. La fausse note était une sorte d'épouvantable raclement qui nous venait du plafond. L'homme ne semblait pas avoir remarqué et je me contentai d'élever un peu la voix. Puis le bruit se transforma en celui d'un corps à corps. J'entendis les fameux souliers ferrés qui dérapaient. Cela se termina par un choc extrêmement violent. J'offris un visage candide au regard de l'Irlandais. En trois pas, il fut à la porte et cria dans l'escalier noir quelque question du genre : « Tout va bien ? » Un grognement enthousiaste de mon condisciple lui fit écho. Il me rassura : « Il a dû faire tomber une encyclopédie. » La conversation reprit. Le silence dans l'escalier était maintenant total. Je trouvais cela encore pire. Il y eut des pas au-dessus de nous, puis quelques cliquetis, enfin un très long glissement assourdi. J'attendais le grand claquement. Il survint justement. Que faire ? Je tapotai aussitôt la manche de l'homme en lui proposant de m'occuper de son feu de tourbe qui faiblissait. Je n'étais pas allé à Galway et aux îles d'Aran pour rien. Je savais que la passion de tripoter le feu et d'inventer des combinaisons pour le faire reprendre rendait sourd au monde tout Irlandais digne de ce nom. Cela ne manqua pas. L'homme alla fourrager dans un coffre et revint avec un paquet de journaux. Il les étala sur le sol, les disposa les uns sur les autres, une bonne trentaine de doubles feuilles. Chacun d'un côté de la cheminée, nous tenions ce formidable écran bien calé en haut et contre les montants.

Le bruit continuait toujours, tout proche cette fois. Les dérapages des chaussures de mon ami avaient disparu ; en revanche, on distinguait fort bien son souffle.

Heureusement, l'air s'engouffrait dans le feu avec force par la petite ouverture laissée en bas. La tourbe ronflait. Les feuilles de papier claquaient comme une voile tendue. L'homme était ravi : « Le vieux truc marchait toujours ; jamais un raté avec ce moyen-là ; l'essence, les soufflets, les pique-feu, tout cela c'était de la bêtise. Une bonne pile de journaux... à condition de savoir s'en servir. » Je pensais justement que les feuilles n'auraient pas dû être tenues si bas. A ce moment précis, ce qui devait arriver arriva. Le papier prit feu à nos pieds. Nous lâchâmes tout. Une partie des journaux enflammés tomba dans l'âtre. D'autres feuilles, bien flambantes, soutenues par le courant d'air, firent une belle glissade et leur vol plané les déposa sur le tapis.

Pour le coup, le monde extérieur aurait pu s'écrouler.

Nous piétinions sur le tapis les flammèches, les rougeoiements qui se tordaient et les écailles noires du papier brûlé quand la porte s'ouvrit. Un peu essoufflé, Jean-Jacques entra. Son regard s'alluma un instant. Il aimait beaucoup ce qui touchait au feu, aux explosifs et à leurs accidents, mais leur préférait encore le bruit de ruissellement d'une vitre cassée par un caillou. L'air appliqué, il donna quelques coups maladroits de pelle et de balayette. Il se redressa, passa sa main dans ses cheveux et, après avoir consulté la pendule, dit simplement que nous ne devions pas être en retard chez ce professeur. Nous n'en avions que pour un moment, et c'était à côté...

Dans la calèche nous attendait une énorme malle. Il donna l'adresse au cocher et se mit en devoir de réunir son argent. Pour n'être jamais trahi par un tintement (alors qu'il disait attendre ce jour-là un mandat de sa mère) quand on lui réclamait son loyer, il n'avait soin de ne mettre qu'une pièce par poche. Sa recherche s'accompagnait de jurons.

Ensuite, je l'entendis qui disait : « Heureusement, j'ai eu l'idée de la descendre en tirant le tapis. »

Je le revis un jour à Paris. Il avait prévenu la concierge qu'il repasserait le soir même. Il surgit en effet vers neuf heures, lesté d'étranges ballots. Comme il n'avait pas dîné, je descendis lui chercher quelque chose. Nous étions en plein dégel et je me surpris à penser que les traces des chaussures de mon ancien condisciple me vaudraient un sermon... Enfin...

Quand j'entrai dans ma chambre, je fus étonné de la trouver plongée dans l'obscurité. J'allumai. Jean-Jacques était dans mon lit, tout habillé, godillots compris. Il se leva sans trop de mauvaise grâce ayant, disait-il, « plus faim que sommeil ».

Nous avons ensuite conversé longuement, étendus, lui sur le matelas, moi sur le sommier.

De la journée du lendemain, je revois un admirable soleil dans les salles du Louvre. Les bustes égyptiens qu'il voyait pour la première fois, la surprenante justesse de ses étonnements, l'incroyable force abrasive de ses questions.

Un café à droite de la façade des Invalides où je lui demandai de faire un tout petit portrait de lui.

En décembre, j'avais reçu les vœux de Guinness, car Jean-Jacques avait profité de ma présence pour avoir droit à une « visite dégustation ».

Ensuite, mes lettres revinrent. Puis ma mère reçut la visite d'un « étranger » à l'air inspiré (son défaut de prononciation et ses fils de comètes dans les cheveux) qui m'avait demandé. Elle l'avait trouvé timide et charmant. Il avait laissé un mot. Sur la feuille arrachée à un cahier d'écolier, le porte-plume impavide avait tracé : « Salut » ; et au-dessous, souligné d'un panache avec quelques ratés : Jean-Jacques.

Mon père, pour qui je venais de dérouler ce fil, dit seulement, l'air entendu : « En somme, tu lui servais toujours de respectabilité. Il est malin... C'est tout de même carabiné !» A regarder de plus près, sa phrase avait un autre sens.

En mer, certains jours (ou était-ce la nuit ?) cela remuait si fort que j'imaginais la pomme du mât entre les mains d'un géant qui tournait le contenu de sa marmite avec notre coque... Les plaques de tôle sonnaient comme le tonnerre au théâtre. Les hamacs s'entrechoquaient violemment, le sol était jonché de débris que l'on entendait glisser comme des palets, sans fin, à chaque coup de roulis. Dormir au cœur de ce chaos n'était pas possible. Et il nous semblait que si nous nous laissions aller, nous prendrions le chemin de ceux qu'on entendait vomir avec des éructations, et cracher en soupirant.

Moreau était connu à bord pour son ordre, sa propreté méticuleuse sur lui, son rire communicatif, son visage tavelé, ses amours épistolaires tumultueuses, son franc-parler, ses réparties (il disait au commandant qui lui ordonnait d'aller sur la plage avant : « On ne peut pas être au four et au moulin ; on est des hommes, pas des bêtes », etc.) et sa merveilleuse faconde.

Nous étions perchés ou agrippés les uns près des autres. Marchant comme un ivrogne sur le plancher des montagnes russes, il partit soudain, après un saut maladroit sur le sol. L'échelle de fer grinça puis brilla d'un éclat gris quand il ouvrit la porte pour aller sur le pont. Un instant après, il était déjà de retour au milieu de nous, s'essuyant la bouche sur sa manche, les yeux un peu creux, plus brillants que d'ordinaire.

« Cela m'a fait du bien. Dommage quand même pour le bout de pain et la rondelle de biquet qui sont partis à la baille. Pour les goélands. Ah ! les morfals ! Vaut mieux vomir un bon coup que d'être comme ceux qui sont lovés comme de vieux tas d'étoupe. Mon père, il disait : le mal de mer... étendez-vous sous un pommier... ça passera. Facile. Ah, la vache ! Pourtant pas n'importe qui, le Vieux. Un qu'était marrant, y paraît, moi je l'ai pas connu, c'est son ancien à lui. Quatre-vingts ans, du pain trempé dans du marc à cinq heures du matin. Un homme bien. Toute sa vie labouré un champ qu'était de travers et remonté sur son dos la terre qui descendait. Si on me demande un héros, je dis : un gars comme lui. Le reste c'est des histoires. L'enfifré de commandant en second, à la « chambre », me demande pourquoi je rempile pas. Je lui dis que j'ai jamais voyagé. « T'étais engagé pour les affiches en couleurs ? » Clairon, palmiers ! Bon. Justement oui, que je lui fais, et pis vous aussi. Il en était baba. Qu'est-ce que je disais ? Ah oui, mon Vieux. Ah ! puissance des ténèbres ! Il en avait de bonnes. Dur au boulot, commandeur à la maison. Il avait été conducteur de locos. Paris-Le Havre au charbon. La vapeur, le sifflet, les signaux, la poussière, les manomètres, le copain qui charge la chaudière, tout, quoi. Efflanqué qu'il était, le vieux, et sale, faut voir comme. Mais c'était un boulot d'homme, comme celui de l'ancien. Il y tenait. Et la dernière fois qu'il a conduit sa machine... On est toujours avec la même machine, c'est comme une femme... Il a mis un habit noir et un haut-de-forme, ou un melon, je sais plus. A la maison, comme sur sa loco, il aimait bien le feu et y détestait descendre la poubelle. En rentrant, il jetait un coup d'œil au seau qu'était près de l'entrée de la cuisine. Des épluchures, hop ! aux flammes ! Une vieille paire de pompes ? Bourrez-moi ça dans le poêle ! C'est vrai que tout brûlait. Y avait bien quelquefois des mâchefers un peu curieux, il les cassait à coups de pique-feu pour leur faire passer la grille du cendrier. Un jour, ma vieille avait lu dans le journal que les drogues périmées, ça pouvait être des poisons et elle s'est attaquée au placard à pharmacie. Tout juste bon à s'empoisonner, tout ça. Déjà qu'on n'est jamais malade dans la carrée. Je tenais le sac en papier, ma mère retroussa sa manche de blouse et bourra dedans, poussière y compris, tout ce qui était sur le rayon : les tubes, les fioles, les poudres, les pastillles, les sirops poisseux, les pommades qui puaient la graisse et même une petite bouteille d'éther qu'était bouchée, comme soudée... Le père rentre, pend sa casquette, nous embrasse et fait tourner ma mère par la taille. Elle, contente. Lui, qui se frottait les mains. Je rejoins ma petite table près de la fenêtre avec un sacré devoir à l'encre violette. J'entends le vieux qui dit : « On va se faire un peu de fiesta, un peu de feu. » Les mirettes allumées, il guigne le sac dans la poubelle. Y jette un coup d'œil. Ecarte la casserole de ma mère. Tire la rondelle avec le crochet. Boum, le sac, dans les flammes. Remet la casserole et reste à traîner autour à bricoler, comme pour l'agacer. Puis ça pète. Une bombe. Ma mère hurlait comme une furie. Mon père, à quatre pattes, un poireau brûlant sur les yeux, criait : « Je suis aveugle. »

« Et toi t'avais eu du mal ? — Moi, non, répondit Moreau, un peu d'eau sur mon cahier. Mais ce qui m'épatait le plus, c'était, sur le carreau de la vitre, un rond de carotte qui descendait... »

Secoué par le rire, mon père passait son mouchoir sur ses yeux.

Je l'entendis un jour se plaindre de ne pouvoir retrouver un mot qu'il cherchait à faire revenir, et mettre cela sur le compte

« peut-être » de l'âge. Pour démentir aussitôt cette impression, je lui dis que, la veille, il avait cité en latin un bon passage de *l'Enéide*. Il s'exclama : « Cela n'est pas pareil. On l'apprenait par cœur au collège. C'était au programme de la seconde ! » Je lui fit remarquer qu'il y avait de cela soixante ans sonnés. Il l'admit et ajouta que moi non plus je n'avais pas oublié mes récitations de classe. Je protestai du contraire. Pour ne pas être en reste et dans un esprit de gentille critique de ma dispersion, il prit un faux air épouvanté en montrant ma tête : « Peut-être bien, mais depuis, là-dedans, quel fourbi ! »

Il enchaîna avec humour sur les oublis dévastateurs. Le plus inutile s'enregistrait sans effort. Au contraire, il lui arrivait de se lever de sa table plusieurs fois dans une matinée pour revérifier un article de loi qui était son pain quotidien. Il reprenait le chemin de son bureau pour s'assurer qu'il avait bien fermé la fenêtre, ou la porte. Et à la maison, le gaz...

Le pire était bien évidemment l'impossibilité de mettre un nom sur un visage. Un jour, un homme et une femme viennent le consulter. Aussi dépourvus de nom que s'ils débarquaient de la planète Mars... et même un doute bien plus grave : étaient-ils mari et femme ? Se disant que le nom reviendrait, il commença l'entretien. Mais quand on fut au milieu du gué, quand le récit eut pris un air connu, le manque était le même. Indirectement, il se jeta à l'eau : « Je vais reprendre votre dossier » et, l'air naturel, « comment s'écrit votre nom ? — Avec un seul p », fut la désolante réponse. Prestement, il fila dans le bureau voisin. La secrétaire-comptable apparut, déguisant son enquête physionomiste en « simple bonjour en passant. » Sauvé ! Mais on n'était pas passé loin de la vexation majeure.

Dans la rue, les passants, reconnaissant l'hésitation d'un coup de chapeau, bondissaient : « Ainsi, vous ne me remettez pas ? » Mais, dehors, on se dégage mieux, on n'est pas encerclé comme dans un bureau.

Les saluts rendus à des inconnus qui ne faisaient que se gratter la joue, c'était donné par surcroît. Cela faisait bon poids et payait pour d'autres fois, simple offrande à un dieu fantasque. Mais ceci — qu'il prenait avec une philosophie souriante — n'avait rien à voir avec la fameuse « distraction » des gens. J'ai découvert, bien après, qu'elle n'était qu'un stratagème utilisé pour ne pas répondre, ne pas tenir parole ou se décharger sur les autres. Je n'ai plus respecté que les « dans la lune » qui oublient de manger.

Sa connaissance de la souffrance ne lui venait pas de l'expérience : il n'avait à peu près jamais été malade.

Une scarlatine que, par la suite, on avait qualifiée de « fausse ». Heureusement : une mère de famille nombreuse de la ville, ayant repéré, dans sa bande, des symptômes comparables, avait tenu les coupables au chaud pendant quelques jours avant de les expédier en classe comme si de rien n'était. Une telle légèreté nous choquait. Peut-être ai-je même commencé à douter ce jour-là des dragons organisateurs en jupes et coiffures en écouteurs sur les oreilles... En rentrant à la maison, je le trouvais couché et ne m'y habituais pas. Cette maladie qui ne faisait pas mal, ce calme, et dans la lumière tamisée, cette blancheur.

Une pleurésie, lorsqu'il était enfant. Ce qu'il racontait me paraissait incroyable. Avec, sur le visage, une lumière heureuse, il disait : « Je ne me souviens de rien. J'étais petit. Seulement d'être pris par mon père dans ses bras et de m'être évanoui à ce moment-là. Je me suis senti partir ; une impression très agréable, délicieuse même. »

Il était donc compréhensible qu'à l'occasion d'une « alerte » survenue beaucoup plus tard, il se « frappe », comme nous disions. J'allais le voir aussi souvent que possible. Les quatre heures de train passaient rapidement : on avance à grands pas dans un livre lorsqu'on est, comme un galérien de la curiosité, attaché à son siège. De temps en temps, un coup d'œil sur le paysage, cette peinture éternellement encadrée, vidée et remplie, annoncée et enfuie, de quatre heures de temps et de quatre cents kilomètres de long.

L'habitude aidant, je suis souvent arrivé bien en avance à la gare. Ceci me permettait de choisir mon compartiment en fonction des voyageurs que j'avais envie de connaître. Un petit mot de rien du tout faisait le lien et souvent l'écheveau de la conversation n'avait pas de mal, ensuite, à se dérouler tout seul. Un changement dans les couleurs me disait que j'approchais. Puis c'était l'arrêt et l'éternelle impression que le train vous laissait en dehors de la gare. Le passage souterrain était trop loin, les voyageurs trop nombreux, surtout trop lents à rendre leur billet. La partie dure du voyage commençait : j'étais impatient de savoir comment j'allais le trouver. La moitié d'une petite ville à traverser, c'est bien peu de chose ; pourtant je crois que si l'on m'avait proposé, pour cet ultime parcours, une moto, un cheval, je les aurais indifféremment enfourchés, à n'importe quel prix. En pensée, j'étais déjà à mon tournant dans l'avenue, et dans la rue vide, déjà au bout ; à peine me dessinais-je sur la clarté de la place que je levais les yeux en direction du deuxième étage. A la seconde fenêtre à partir de la droite de la façade (et je découvre seulement aujourd'hui que c'est celle qui donnait le meilleur angle et donc la possibilité de nous voir du plus loin), si cela ne brillait pas, je voyais son visage entouré par le rideau blanc que sa main écartait. Rassuré, je faisais un grand signe du bras. Ainsi, tout était comme toujours, il était là, et debout, ce qui en disait beaucoup. Pour la hauteur du moral, nous verrions bien.

J'ai oublié de dire que je gagnais du temps à deux croisements décorés de feux rouges : comme ils n'étaient pas là à l'époque de mon enfance et qu'on ne m'avait pas consulté avant de les installer, je ne m'en occupais pas. Les automobilistes nouveaux n'avaient qu'à faire attention.

Bientôt il me demandait — non sans un peu d'ironie à l'égard de celui qui non seulement aurait attiré la chose mais aussi l'aurait embellie, car aimer les histoires est un travers qui ne se corrige pas — « Est-ce que tu as rencontré des gens extraordinaires dans le train ? »

Ce jour-là, justement, les rôles avaient été renversés : c'était un solide homme d'une soixantaine d'années, au visage ouvert, qui m'avait invité à prendre place dans le compartiment : « Asseyez-vous ici, comme cela on sera complet. » J'ai obtempéré en souriant et lui ai demandé s'il ne venait pas par hasard du Nord...

Il cueillit l'expression au vol : ce n'était pas par hasard, il était du Nord. Il ne l'avait même jamais quitté. Sa femme le poussa du coude. « Bien sûr, il y avait eu l'interruption de la captivité. » Ces histoires-là sont souvent réjouissantes. Il sentit mon attente et raconta .

La Prusse orientale, c'était loin : sans un mot d'allemand, on ne risquait pas de trouver une combinaison d'évasion. C'était froid : il fallait se sustenter pour résister. Un trio fut bientôt soudé par une totale identité de vues sur cette question, sans parler d'une roublardise multipliée par trois. Le boulanger réussissait toujours à mettre du pain de côté, trouvait quelquefois le moyen de faire des gâteaux. Un autre de ses atouts était d'avoir à sa disposition un four. Un four, cela en donne des idées, cela en améliore des choses...

Sa femme, comme le train partait, serra un peu plus fort ses mains vigoureuses sur son sac. On n'en était qu'aux présentations mais déjà elle souriait dans le vague.

Le deuxième compagnon, ancien valet de ferme était demeuré dans sa branche mais y avait pris du galon, comme il disait. Les plus beaux légumes s'entassaient dans ses jambes de pantalon (bien sûr, une ficelle entourait chaque cheville). Les œufs gonflaient les poches de sa veste de molleton bleuâtre marquée K.G. : il hurlait lorsqu'on l'approchait pendant le parcours préludant à leur festin hebdomadaire.

Le troisième homme faisait partie d'une

équipe de fantômes réparateurs. On les trimballait de ci de là et ils réparaient, soulignait le boulanger dont le rire montrait les dents rutilantes. En réalité, il était braconnier, sans doute aussi dans le civil, à moins que, peut-être, il ait fait le garde-chasse. Etait-ce la décision de se comporter comme en pays conquis, ou tout simplement la faim ? Toujours est-il que sa passion de la chose irrégulière se trouvait dix fois plus virulente qu'en France. Pièges, lacets, appeaux, tout était bon. Aucun terrain n'était respecté et les malheureuses volailles des poulaillers n'avaient pas le temps de comprendre ce qui leur advenait : il était déjà trop tard.

Chacun sait que ce qui est cuit dans un four de boulanger... bref, rien qu'à l'entendre évoquer, on se prenait à regretter de ne pas avoir été convié. Le vieux cordonnier allemand du coin, qui s'était montré si serviable, ne fut pas tenu à l'écart de ces paradisiaques agapes dans la chaleur de la boulangerie. Mais, l'objet de son art étant incomestible, il fit à la société un apport en schnaps. Mal lui en prit : les trois compères, nouveaux à ce sport, ou simplement déshabitués, lurent clairement dans le liquide pourtant incolore leur libération. Ils se rendirent dans la rue pour faire partager leur joie aux bonnes gens, célébrant ainsi — en avance — l'événement. Tapage nocturne.

Le cordonnier resta cordonnier. Mais les trois prophètes eurent à prendre le chemin du stalag. Cela ne réglait pas la question des réparations, causait un douloureux manque à la ferme mais touchait au drame pour la boulangerie. Dans la petite ville, on parlait du « pain français ». Le boulanger réapparut un beau jour entre ses fagots et ses sacs de farine. Il lui fallait maintenant reconstituer l'équipe. Suivant la position sociale de ses clients, il brandissait les anathèmes les plus destructeurs, ou feignait l'abattement, celui-là même qui conduit les chiens fidèles à se laisser mourir. Tout s'arrangea bientôt et les fêtes reprirent.

Mais l'autorité, vexée, veillait. Elle infiltra dans le club un mouchard, vilain petit jeune homme au nez en pied de marmite et à la tignasse en meule de foin qui simula la vocation de boulanger. Il aspirait en fait à être botté le plus tôt possible. De bottes qui auraient carrément rejoint la visière de sa casquette verte.

Comme le voyageur le faisait finement remarquer, c'est le travail du boulanger de sentir les cafards. Les lapins rôtissaient en deux fois, pendant les absences réglementaires de l'insecte, et voilà tout. Les morceaux de viande dorée transitaient de l'un aux deux autres qui les mangeaient froids. Comme la vengeance.

Son heure vint justement pour Noël. « On n'avait rien à perdre. Et puis, que voulez-vous, c'était la guerre. Fallait pas l'oublier. Et nous, on était loin de chez nous. » La veille, ces dames apportèrent à la boulangerie qui une tarte, une brioche, ou un fier kugelhopf : la vertu d'un four professionnel transfigurait ces créations.

Par le moyen d'une courte-paille truquée, le « pot de colle » fut de garde cette nuit-là. Ostensiblement, le maître-boulanger remonta le réveil (mouvement seul) de son compagnon et lui montra que l'aiguille de la sonnerie désignait bien le 4, heure de la sortie de la fournée. Puis il alla demander l'autorisation de passer cette sainte nuit en compagnie de son compatriote. Emotion : on obligea le fermier à venir prendre livraison de l'invité de son pensionnaire.

Quand un je ne sais quoi réveilla, vers sept heures, le faux mitron, le four ne contenait plus que de singulières architectures de charbon de bois.

Comme au billard, il y eut des chocs en

retour. L'espion amateur connut le courroux des ménagères. Les trois comparses continuèrent à bien rire.

A cet instant, un énergique coup de coude de sa femme rappela le narrateur à la réalité. « Et pendant ce temps-là, moi, je t'attendais en tenant une épicerie avec rien du tout à vendre dedans. Ah ! ces hommes, tous les mêmes, pensent qu'à rire. Et pas à la maison. Avec les copains. Dehors. » Elle-même riait.

Et lui de renchérir : « Pour ne pas être à la maison, c'était le cas. Et à quoi ça aurait servi de s'en faire ? »

J'avais eu droit aux histoires précédentes mais je ne pus accompagner mon prisonnier jusqu'au jour béni de sa libération : noir sur blanc, le nom de ma gare m'appelait. Je n'eus que le temps de descendre.

Mon père me demande de décrire un peu l'homme. Puis il sourit longuement : « Quand on est jeune... »

Naples. Noël. Dans une pizzeria déserte, assis à une table comme deux clients, une femme et un homme trient des lentilles. Elle a la quarantaine, elle est brune et vive. L'homme a vingt-cinq ans, il est élégant, rieur et sûr de lui. Ils parlent avec animation et complicité en amassant les petits tas de graines vertes avant de les balayer d'un revers de main dans la soupière.

Soudain, la femme hurle et gratifie le garçon d'une tape sur le bras. Il rit en se penchant en arrière. Je vois alors qu'elle pousse du pied vers lui un brasero rougeoyant qui se trouvait sous la table. Il l'avait subrepticement déplacé en plein sous ses pieds à elle.

C'est idiot. Bien sûr, il ne recommencera

pas. On imaginerait aussi que l'effet de surprise serait émoussé. La conversation et les gestes mécaniques des mains reprennent. L'un et l'autre se lèvent pour me servir et retournent à leur table.

Alors la femme hurle, tape le bras du jeune homme et repousse du pied le brûlot vers le milieu de l'espace qui sépare leurs pieds.

Retour aux lentilles. Soudain, c'est l'homme qui crie : il n'en peut plus, il est sur le gril. Je vois son pied qui dirige sûrement la marmite fatale.

Quand elle sent la chaleur, la femme hurle. Rit. Tape sur la table, car il a retiré sa main. Les lentilles sautent. Quelques-unes roulent. « Tu vois ce que tu me fais faire... — C'est moins grave qu'un pied brûlé », rétorque-t-il en faisant semblant de bouder.

La femme vient me servir et se rassied. Cette fois-ci, c'est un cri strident : elle avait un pied dans le feu. Tous deux rient en me voyant me tordre.

Ce devait être un bon jeu, car il dura tout le temps de mon repas. Et même au-delà : de dehors, je vis la chose noire se déplacer lentement vers l'aplomb des deux savates qui ne pouvaient atteindre le sol.

Venise, le sabbat. Il y eut d'abord une éclaireuse. Imposante. Grande, solidement corsetée sous sa robe grise faussement discrète. Les boucles d'oreilles, bagues, broches et bracelets disaient la confortable aisance de l'autoritaire dame de soixante ans. Le visage, énergique, était celui d'une régente sortant de chez Frans Hals.

Un coup d'œil circulaire, un regard possessif sur une grande table restée libre au fond de la trattoria fraîche dans le quartier du Ghetto de Venise. Elle repartit et je vis sa solide silhouette masquer un instant le soleil dans la porte d'entrée.

Quelques minutes après, elle revint, fermant majestueusement la marche d'une petite troupe. C'était bien la Commandante, la Femme forte. D'autant plus que les cinq autres femmes, comme par un fait exprès, avaient toutes un petit quelque chose qui n'allait pas.

La première ne compensait pas sa petite taille par l'élégance de sa robe ou la longueur de ses pendants d'oreilles. La seconde boitait carrément et se servait maladroitement de sa canne. La troisième trimbalait deux cabas ventrus et usagés qui n'étaient certainement pas des signes extérieurs de position dominante. La quatrième avait des épaules et un dos qui ressemblaient à un naufrage. La cinquième était timide, si timide qu'elle portait des verres de lunettes qui n'étaient pas adaptés à sa vue, ou aux défauts de celle-ci.

Quand le regard revenait sur la surveillante générale gris perle, on voyait bien à qui on avait affaire.

La patronne vint questionner l'assemblée des dames assises autour de la table. Sûre de sa troupe, la cheftaine demanda un pichet de vin blanc. La femme revint avec un pichet mais le posa sur un buffet voisin. En effet, il fallait d'abord retirer la nappe (on met des nappes à ceux qui dînent). Soulevant les salières et les cendriers, les vieilles s'empressaient d'aider. Cela me parut étrange.

Les conversations commencèrent. A dire vrai, plutôt un monologue, émanant de l'autorité de cette basse-cour. A un bout de table, deux s'enhardirent jusqu'à tenter un aparté. Elles se firent immédiatement interrompre et questionner. Le vin blanc était réparti très également, ma foi, entre les verres (habileté, habitude ?) mais personne ne buvait. Puis, soudain, le verre de la grosse poule grise disparut dans sa forte main et se fit soulever par un bras de repasseuse. Les lèvres fines furent trempées dans le breuvage. Ce signe était attendu par les autres. Je regardai les verres : personne n'avait vraiment beaucoup bu.

Les unes et les autres s'installèrent un peu plus commodément. Ici, une veste sur un dossier, là, un sac à main était mis en sécurité au bas d'un dos, ailleurs, un gros chandail s'entrouvrait. Et la dame timide parvenait même à lâcher la poignée de son cabas qui, pourtant, collait son étalement au sol.

La conversation animée avait quelque chose de faux. C'est alors que cela se produisit. La petite dame aux longues boucles d'oreilles amena sur ses genoux un paquet enveloppé d'un journal et d'un sac publicitaire en plastique. Elle défit un coin et produisit sur la table la moitié d'une baguette de pain extrêmement rassis. Bruit sec.

De ses deux mains, elle venait d'en casser un petit morceau. Elle le trempait à coups répétés, y compris ses doigts, dans le vin de son verre. Puis elle mangea en aspirant. Elle en donna à ses deux voisines immédiates. Des miettes gonflées de liquide commencèrent à tomber au fond des verres.

Une autre avait des biscuits et la cheftaine en accepta un qu'elle fit d'abord semblant de ne pas vouloir tremper.

Quand je regardai de nouveau, il y avait sur la toile cirée, en plus des différentes sortes de pains et de biscuits, un cornet d'olives éventré et quelques petits tas de noyaux. Un demi-poulet froid débarqua bientôt et c'était merveille de voir chacune tirer une lame de blanc ou un morceau de peau rôtie avant de passer à la suivante.

Puis on essuya les doigts et les bouches au papier de journal d'emballage équitablement partagé. Les boulettes de papier gras allèrent rejoindre les noyaux, les tibias et les bréchets au milieu de la table.

Il y eut un moment de silence. Puis une main légèrement déformée par les rhumatismes saisit l'anse du pichet. Deux paires d'yeux le sondèrent jusqu'au fond. La dame timide proposa un peu du vin qui lui restait à sa voisine. Trop de vin lui faisait mal à l'estomac : tout un verre c'était bien beaucoup. L'autre accepta pour la forme et en versa par surprise dans le verre de la suivante. Celle-ci fit des manières et se récria. Ce qu'il fallait, c'était en redemander. Les yeux se tournèrent vers l'Autorité. Olympienne, la grande ourse commanda au fils de la maison, qui mangeait ses spaghettis un peu plus loin, un autre pichet du même.

Elle se leva à son tour et revint avec une assiette que j'avais remarquée dans un frigidaire à vitrine. Quatre sardines grillées, froides. Cela devenait évangélique. Les malheureuses furent rapidement déchirées à coups d'ongles et de dents. Une ou deux dames prétendirent « ne plus avoir de place ». Finalement, deux épines dorsales avec têtes faisaient la planche dans le chaos central. Deux autres, avec une seule tête laissèrent un élégant dessin en silhouette sur l'assiette. On retrouva dans les boulettes de papier des endroits moins douteux pour essuyer des lèvres et des doigts.

Il était maintenant temps de partir et chacune sortit ses deux ou trois pièces de cent lires. La dame en gris eut un dernier geste royal, elle jeta au jeu un billet de mille lires et rafla la monnaie des autres d'un revers de main.

Sans un regard pour le champ de bataille, le charnier et les miettes, elles partirent après un dernier examen du fond du pot.

L'air horriblement dégoûté. le garçon débarrassa. En me voyant sourire, il tendit le poing de la malédiction vers la porte : « Z'avez vu ce chantier ? Pour ne pas payer le couvert ! Seulement un verre qu'elles disaient, les vieilles ! Ah ! Mon œil ! »

Entre lui et moi, comme nous reliant, passe un impressionnant défilé d'animaux. Non qu'ils fussent mon unique occupation : entre la fabrication, l'essai de scaphandres et le lancement de modèles réduits d'avions s'intercalaient mille industries utiles comme l'invention de la fonte du plomb dans une casserole, l'exploration de grottes à la glaise gluante et la confection de poudre noire. Mais il était une des seules grandes personnes qui ne considérait pas ma passion pour les créatures rampantes courantes volantes muettes chantantes coa ou croassantes comme une occupation sotte, voire répugnante.

Il m'avait raconté que lorsqu'il était écolier, à Lyon, les jeux des enfants et leurs occupations subissaient la loi brutale de changements foudroyants. Pendant les récréations d'un certain mois, on jouait aux barres. Ensuite, on ne voulait plus en entendre parler : c'était le règne de la balle au chasseur. En fait, tels les personnages d'un jacquemart invisible et figurant les mois, les jeux obéissaient au Temps. Le grand, celui que les enfants ne voient pas, éblouis qu'ils sont par ses manifestations de détail comme les boules de neige, l'apparition des grillons ou la découverte d'un oisillon. Le moment des hannetons n'avait pas à être décidé. Il éclatait. Un matin, les marronniers de la cour des grands étaient entourés de mille planètes brunes, bruissantes, perpétuellement en orbite. Ces coléoptères passionnés et maladroits percutaient, avec un fort bruit, qui un tronc, qui un mur ; c'était le signal de leur courir sus. J'imagine que les uns eurent droit à de minuscules attelages tandis que d'autres partaient écrire dans le ciel des mots connus d'eux seuls au moyen du fil de couleur fixé à leurs pattes. On n'insistait pas sur les jeux cruels.

Mais un hanneton, c'est un peu souillon. Cela ferait penser, dans un univers d'animaux supérieurs à la poule ou à la vache. La bestiole n'est certes pas antipathique, mais elle n'enflamme pas l'imagination d'un enfant. Au contraire, parlez-moi du cerf-volant, ce lucane aux cornes fabuleuses ; lui, c'est à la fois un bijou de métal vivant, un blason, un chevalier en armure coiffé d'un casque barbare...

Il en avait élevé dans un coin de son bureau ouvrant. Mais, mal renseigné, il leur avait donné des déchets de bois et des restes de fruits du goûter. Il s'était trompé de convive : seule la larve est un ogre. Une épouvantable odeur, des taches tenaces donnèrent le signal de l'abandon. Du moins cette histoire me servait-elle à plaider ma cause : comment pouvait-on refuser à son fils ce que l'on avait eu, soi ? Souvent des arguments vous manquent justement lorsqu'on en aurait besoin : c'est aux enfants que l'on devrait apprendre à dire : « Je travaille pour la Science. Il faut que jeunesse se passe, etc. »

Lier la patte d'un animal était considéré comme un crime. La détention provisoire, sans nourriture, dans une boîte d'allumettes ne devait pas être prolongée. C'est ici le lieu de relater un prodige dont il se souvenait encore vingt ans après.

Comme il n'était pas question d'imposer à un chien la claustration d'un appartement, j'étais condamné à n'héberger que des animaux de petite taille. Quant aux chats, d'abord un précédent désastreux faisait encore jurisprudence, mais, surtout, ils n'étaient pas en odeur de sainteté et leur cause, d'avance perdue, ne se plaidait même plus. L'odeur du félin y entrait pour une part, les tâches supplémentaires étaient à considérer, mais il y avait aussi les larcins cuisiniers et surtout, je crois, le souvenir tragique du spectacle du jeu de la souris qui évoquait à son tour la mentalité vraiment criminelle de celui qui guette ardemment les oiseaux et réussit même à s'en saisir. Donc, délaissant le menu fretin parmi les insectes, je rêvais de lucanes, d'énormes libellules aux allures de bombardiers et dont les yeux figurent la cabine transparente à l'avant, de mantes religieuses. J'avoue volontiers qu'effrayer les visiteurs était loin d'être un déplaisir... Il n'y avait pas de scorpions dans la région. Cela a dû me manquer, car j'ai pris ma revanche avec une particulière ardeur bien plus tard.

Chez des cousins de mon père, en Dauphiné, j'avais capturé un magnifique animal vert clair, volant suffisamment pour décourager un poursuivant. Les gens du lieu l'appelaient criquet voyageur. Je revois encore sa tarière redoutable ; c'était donc une criquette. Une boîte d'allumettes soufrée remplit le rôle de cage d'urgence. A l'heure de la sieste, j'allai, comme d'habitude, m'étendre sur le lit de mes parents, dans la grande chambre du rez-de-chaussée, « après avoir replié le dessus de lit ». Je déposai la boîte sur la table de nuit. Et là, tout en contemplant les croisements de rayons lumineux au plafond, je pestai contre les condamnations à l'inaction imposée aux malheureux enfants, et m'endormis. A mon réveil, déjà, d'autres projets m'appelaient. Je courus.

Le lendemain matin au petit déjeuner, sans cesse interrompu de joyeux sauts de chiens, ce qui m'enchantait, ma tante demanda à mon père s'il avait bien dormi, s'il n'avait pas été gêné par aucun bruit. Sa nuit avait été reposante. Et si c'était aux coups de pioche qu'elle faisait allusion, il ne les avait entendus que lorsqu'il était largement temps de se lever. Impossible : l'ouvrier agricole était parti tôt au village ce matin-là. Il était pourtant sûr... Mystère. A cet instant précis, je me levai de table pour aller reprendre possession de mon prisonnier. Tout s'éclaira alors. Les griffes de l'animal égratignaient le carton de la caisse de résonance. Pour mon père, le moment était bien venu de demander la libération de l'animal oublié quoique gigantesque. Il l'avait bien méritée. Mon père obtint la levée d'écrou. Sans un regard pour son avocat, ou un signe de ses formidables mandibules pour moi, l'animal s'éclipsa à la façon d'une machine volante.

Les habitants de la ménagerie devaient être convenablement logés, et nourris. Sinon, il fallait leur rendre la liberté. Comment savoir ce que mangeait tel ou tel et s'il avait réellement pris son repas ? Feuilles de salade, miettes de pain, mouches, composaient un menu universel. Les feuilles vertes, décoratives, permettaient à l'animal de s'abriter mais je dois avouer que je n'ai jamais surpris aucun de mes prisonniers en train de se goberger. (Bien sûr un corbeau charmant et omnivore, un poisson-chat qui était un gouffre ne comptent pas.)

Comme les hommes, les animaux sont naturellement doués pour l'évasion. Ceux qui sont durs poussent, ceux qui sont mous s'amenuisent. Et beaucoup d'entre eux, flairant le test, savent très bien, quand on les observe, se faire donner une mauvaise note en escalade. Ainsi ces tritons et salamandres pour lesquels j'avais obtenu la permission d'utiliser la baignoire un soir. Ils dérapaient, assurai-je, le long de l'émail. Mais le lendemain, sur une bonne vingtaine, il n'en restait même pas un. Mon père était certes un libérateur infatigable mais pas par n'importe quels moyens. Il était au-dessus de tout soupçon. Il fallait donc se rendre à l'évidence : ces sauriens de la préhistoire s'étaient évadés sans laisser la moindre trace. J'imaginais qu'une manière de sixième sens leur avait fait découvrir d'humides passages dans la maison et que, à l'heure qu'il était, ils se dandinaient en direction des marécages qui ornaient les alentours de la ville.

On aurait pu me nommer inspecteur de ces lieux tant je suivais avec attention les événements historiques qui avaient pour cadre les mares, étangs, bras d'eau morts et jusqu'aux moindres fondrières. C'est là qu'un jour béni des dieux, en ces lieux vagues, intermédiaires entre la terre et l'eau, bien défendus par la vase traîtresse, je fis la capture du siècle. Je dis bien que je revins à la maison, ce jeudi-là avec ma main au fond de ma poche, et que, n'en croyant pas mes doigts serrés, je tenais cette merveille qu'est une rainette.

Bien sûr, il ne s'agissait pas de la diablesse qui a le museau pointu, la peau brun camouflé, le ventre laid et le contact un peu gluant. C'était la verte. La petite, trois centimètres de long. La jolie, avec ses yeux cerclés d'or. La douce, avec son petit museau rond. La confiante, qui se blottit dans la main. La peau fine, la pose sculpturale... Mais c'est le vert qu'il faudrait dire. Clair, intense, il vous rafraîchissait le jour et on pensait qu'il allait briller dans la nuit. Après les insectes, ces monstres anguleux, c'était la douceur, la vraie beauté et le grand amour.

La demeure idéale s'avérait être un petit aquarium qui en avait vu de toutes sortes. Un clou chasse l'autre : le pensionnaire du moment trouva la liberté. Un peu d'eau, les sempiternelles feuilles de salade, quelques cailloux figurant la terre ferme. En revenant de classe, je traversais l'appartement comme une trombe pour aller la retrouver, le cœur battant (elle aussi), forme verte ramassée dans la verdure. Elle était si immobile que je m'y habituai, oubliant les ventouses au bout des doigts mignons. Je retirai la planche qui fermait l'aquarium. Elle respirerait mieux.

Cet oxygène nouveau lui donna-t-il des idées d'évasion ? Toujours est-il qu'un jour, d'abord incrédule devant une telle calamité, je dus admettre que nous n'avions pas les mêmes sentiments l'un pour l'autre : elle avait disparu. Comme la petite danseuse en collant vert avait fait l'unanimité en sa faveur, on m'aida dans mes recherches. (Il y avait sans doute la crainte de la trouver dans son soulier, ou pire, sur sa figure la nuit, sans parler de la terrible éventualité qu'elle aille se décomposer dans un coin... mais tout cela, par délicatesse, on ne l'évoqua pas devant moi.) On enquêta en vain.

Très longtemps après, six jours peut-être, on la trouva à l'autre bout de l'appartement. Pour tout dire, en mettant le couvert : elle méditait entre deux assiettes d'une pile. Un peu de poussière sur son dos : j'en eus le cœur serré. C'était comme si, ayant désespéré de tout, elle avait attendu la mort et la momification. Prématurément. elle avait accepté d'être un objet — ni plus ni moins que ceux sur lesquels on passe le chiffon. Tout, plutôt que l'affreux Gulliver que j'étais, organisateur de prisons vertes et dispensateur d'affreuses feuilles de laitue. En courant la tremper dans l'eau, je n'étais pas très fier.

Je ne résistai pas longtemps aux demandes de mon père, malgré ce que la possession d'un tel animal avait de prestigieux (mes camarades en convenaient). Je promis de la libérer. Elle l'avait mérité. Il avait déjà failli être trop tard.

Le moment fut choisi : un dimanche avant le déjeuner. Le lieu retenu, un jardin public assez vaste qui se terminait naturellement. Là, disait-il, elle se débrouillerait. Peut-être pensais-je que, du moins, il fallait qu'elle ne soit pas reprise par un autre garnement... L'endroit précis, le pied d'un platane. Sous son regard bienveillant, je la déposai sur une feuille humide. Cela faisait comme un tableau. Lentement, elle rampa gracieusement jusqu'à une petite cachette. Je n'en vis pas plus, car mes yeux se brouillaient.

Tout cela avait été traité par lui comme une chose importante. Ce n'était pas anodin. Avec l'autorité morale et non celle du règlement. Je ne lui en voulais pas. Il était le meilleur dans cette affaire et c'est ce à quoi je m'étais rendu. Quand on me prenait autrement, je montrais ma foncière tendance à ne capituler jamais.

Longtemps après, je me trouvais à Bangkok près de la grande pagode. J'aimais qu'en janvier il fasse si chaud. Je regardais des bannières pieuses flotter dans le ciel. Je fus tiré de ma rêverie par un petit garçon qui me touchait la main. Voyant que je lui souriais, il m'entraîna vers son père accroupi un peu plus loin devant quelques minuscules cages renfermant chacune un passereau fort agité. Toujours en riant, ils mirent une cage dans ma main. Leurs doigts écartés indiquaient le prix. Même si j'avais eu envie d'acheter un de ces petits compagnons aux plumes ébouriffées, la poursuite de mon voyage m'aurait interdit de faire cet achat. Ma mimique leur dit mes regrets. Ils me firent signe qu'il ne s'agissait pas de cela. L'enfant fit jouer un tout petit peu la porte à glissière (mieux vaudrait dire la fenêtre) de la cage. Et de tout son corps, il mima l'avion. Je compris, comptai les quelques bahts, pris la cage, l'ouvris. L'oiseau s'élança, éperdument. J'ai vu ce jour-là à quel point le ciel était profond, creusé par l'élan de l'oiseau.

J'ai pensé à mes cages à moi. Il me semblait même qu'une autre libération m'avait valu une petite pièce. Le jour de la rainette, une page avait été tournée. (Plus tard, le départ du choucas fut dès le premier jour prévu : il faisait trop le clown. Et quand il sut voler, dans l'appartement, sa libération ne pouvait pas être retardée, même d'un jour.) Sans doute cet événement me prépara-t-il à comprendre vraiment mon père quand il dit : « Beaucoup de gens ne voient pas que quelqu'un ne peut, en aucun cas, être à eux. On ne possède pas les êtres, pas plus une femme qu'un homme ou un enfant. »

L'office était une petite pièce sombre attenante à la salle à manger. La grosse réserve de vaisselle et les « beaux » couverts des jours de fête se rangeaient ailleurs. On trouvait là de quoi mettre la table de tous les jours : les assiettes et les verres, la nappe, la carafe et la bouteille. Un vénérable drapeau tricolore qui avait vu plus de mites que de champs de bataille y reposait. L'essentiel de l'espace était occupé par des livres en double rangée sur de profonds rayons. En bas, à portée de la main, un très lourd dictionnaire en six volumes, compagnon constant. Une série d'Histoire reliée. De vieux Baedeker et des cartes. Bien des choses, et parmi elles, ces livres où Stendhal parle de lui, qui l'enchantaient, alors qu'il ne pouvait supporter ses romans.

C'est là qu'un soir, il alla chercher d'un doigt infaillible ce *Don Quichotte* dont il venait de me parler. En me tendant le livre bon marché, il me raconta la fameuse histoire du roi d'Espagne penché à sa fenêtre de l'Escurial et disant à la vue d'un homme pris de convulsions : « Ou cet homme est fou, ou il lit le *Don Quichotte* » ; on alla voir, il lisait effectivement Cervantès. Il me choisit un chapitre. Je me lançai. Le résultat ne se fit pas attendre : mon rire secouait la table. Il leva les yeux de son livre, me sourit en me demandant à quel endroit j'étais arrivé. Je le lui dis. Au bout d'un moment, côte à côte, nous pleurions, nous étouffions, nous tapions de la main sur la table. Une expression anodine comme « gifle à poing fermé » faisait repartir la crise. Le fou rire est ainsi fait.

Des années passèrent, mais c'est *Don Quichotte* que je glissai dans ma poche d'imperméable en allant prendre un train pour Colmar. J'allais chercher des cadrages de détails dans le retable de Grünewald, autrement dit des tableaux dans le tableau. La gare était déserte. Je ne mis pas longtemps à comprendre pourquoi : il faisait moins vingt-cinq. Pire que la sensation de froid, j'avais l'impression que je me vitrifiais. Un ruban de métal autour du front, les jambes qui s'arrêtaient aux genoux, je courus jusqu'à un restaurant. Il était bondé. La patronne n'aurait cependant pas voulu avoir un mort sur la conscience. Elle m'installa à une petite table utilisée pour desservir. En attendant la suite, je regardai autour de moi. A ma droite, une sorte de bison couché : les manteaux, pelisses, fourrures, en pile. A ma gauche, deux brochettes de douze bureaucrates célébraient quelque fête administrative.

Je repris mon livre. J'en étais au début du combat nocturne dans l'auberge. Au même endroit, cela me reprit. N'arrangeant rien, mes pieds gelés tressautaient sous la table. Quand je me mis à me tenir le ventre et à pleurer de rire tout en cachant mon visage derrière la serviette, les festoyeurs aux visages lumineux s'animèrent. Je sentis qu'ils bougeaient. Bientôt on me tapota l'épaule : le patron me demandait si je souhaitais m'étendre, si j'avais déjà eu cela, ou si je voulais qu'on appelle un médecin. Je recomposai mon visage un instant, pour le rassurer. Cela reprit de plus belle. J'essayai de penser à des choses sinistres : pire. Simplement au froid qui m'attendait dès la porte... ce fut un comble.

Nous nous écrivions très souvent, plus d'une fois par semaine, au moins de petits mots. Dès le lendemain, je lui fis le récit de ce supplément aux aventures de l'ingénieux hidalgo en prenant bien soin d'indiquer la référence du passage. Dans sa réponse, il me dit que, comme une expérience de physique à la réussite garantie, le même passage l'avait de nouveau fait se tordre.

On me dira que ceci ne prouve rien : outre l'appartenance à la vaste catégorie des gens du « bon public », nous jouissions d'une solide santé, entretenue peut-être par la propension à rire.

Comme, à cette époque, je lisais dans les détails ainsi que d'autres dans les taches des murs ou le marc de café, j'ai découvert à son propos un principe qu'il suivait sans l'avoir jamais énoncé. Il n'avait pas mis entre mes mains un *Don Quichotte* réécrit pour un enfant. Non, c'était le vrai, en entier, avec ses brouillards, ses rapides... les combats, les histoires drôles mais aussi les sermons puisqu'ils en faisaient partie. C'était un avantage précieux, cette certitude d'avoir lu le même livre que celui dont on vous parlait. Souvent je me suis surpris à rêver que je demandais brusquement à des écuyers tranchants du savoir : « Ces Assyriens dont vous réglez le compte, ce bonhomme Goriot qui vous fait lever les yeux au ciel, ne seraient-ils pas, et pour cause, rien d'autre que les nains schématiques fabriqués pour les enfants en dépeçant les beaux livres ? » Le chemin serait à reprendre en entier mais on ignore que, sur certains points, on en est resté à ses connaissances des petites classes.

Le temps du train qui relie Bangkok à Chien Maï, tout au nord, c'est un petit morceau d'éternité. Je pouvais m'endormir une heure ; à mon réveil, il me semblait reprendre la phrase du paysage là où je l'avais laissée.

Peu après le départ, le wagon s'anima. Portant des bouteilles de bière, des voyageurs se croisaient dans le couloir. D'autres se mettaient à l'aise.

Un Chinois qui me regardait fixement depuis un moment se leva soudain et me demanda la permission d'occuper le siège qui me faisait face. Monsieur Chou (il me semble bien que son nom signifie vermillon), spécialiste en installations de tubes fluorescents, se rendait dans la ville du nord pour vérifier le bon éclairage d'une foire commerciale. Je lui dis aussitôt que, d'après ce que j'avais vu à Hong-Kong, il me semblait que les Asiatiques, et les Chinois en particulier, étaient passés maîtres dans cette science du décor nocturne et du miroir aux alouettes pour attirer les chalands. Quand je parlai de la façon de disposer des lanternes comme d'un véritable art, il s'inclina avec courtoisie.

La boule de la conversation n'est pas si aveugle que cela : elle tomba pile dans la case intitulée « peinture chinoise ». Nous parlions des mêmes œuvres, comme si elles s'étaient trouvées là devant nous. *Les cent oies, Les kakis, Les chevaux du tribut, Un poète regarde la lune, Le village de montagne pris dans la neige.* Je me souviens qu'il disait « Monsieur » avant de prononcer le nom du peintre.

Le paysage défilait. De l'eau, des arbres, des reflets. Des feuillages finement ramifiés, comme la tache d'encre qui progresse sur le papier mouillé. Des troncs et des branches, ailleurs, qui explosaient comme des feux d'artifice noirs sur le blanc du ciel. Sa clarté devint grise. Nous parlions encore : comme le paysage, la peinture chinoise ancienne était inépuisable.

Je me demandais si je choquerais mon compagnon de voyage en lui parlant de ces mélanges, de ces passages rêvés, de ces zones imprécises où l'on se sent parfois, entre la peinture et la vie.

L'employé vint faire les arrangements pour la nuit. Ceci se dépliait, cela se remontait, ceci se déroulait, cela s'ajustait, bref, on se retrouvait dans un lit derrière un rideau. Nous nous souhaitâmes bonne nuit et je m'endormis.

Je fus réveillé par une main qui me touchait légèrement à travers mon rideau. Ce ne pouvait être que Monsieur Chou. Je lui demandai ce qu'il désirait. Il me dit simplement : « Vous vous souvenez, le tableau. La petite montagne, l'oratoire dans le bois, le vieil ermite et, dans le coin, en bas à droite, la barque plate amarrée à un pieu. » Oui, je voyais (comment ne pas voir) ce rouleau... mais certes pas ce à quoi il voulait en venir. « Le paysage que nous traversons, c'est tout juste le même. » Ravi, je fis le geste de lever le store. Il arrêta mon bras. « Non, ce n'est pas la peine. Il fait tout noir... je voulais seulement vous le dire. »

Je me suis souvent étonné de voir que les professeurs de français dégoûtent leurs élèves des classiques et que ceux qui devraient enseigner la peinture en font un repoussoir. Les traces en sont visibles vingt ou trente ans après la sortie de l'école. Eduquer est un don, pas un métier. Le moteur, il est dans chaque écolier ; son carburant c'est la curiosité. Même la plus désordonnée, la plus bizarre, la plus spécialisée est bonne. Elle tire des lignes, des axes. Par la suite, ceux-ci se rejoindront, se recouperont forcément. Le système ne s'impose pas, il se fait tout seul. Il se réinvente.

Ainsi, on peut se trouver encouragé à

collectionner les monnaies. La valeur, il n'en était pas question. Les histoires que les petites rondelles de métal racontaient, oui. De rencontre en rencontre, cela menait loin et touchait à tout.

Un jour, j'entrepris de classer sérieusement les monnaies de mon « trésor ». Parmi elles, une pièce du siège de Mayence. Comme elle échappait aux classements par rois ou par pays, je demandai de l'aide. Il m'expliqua ce qu'était un monnayage obsidional et ce mot lui rappela une sorte de délire dont sont atteints les assiégés véritables ou imaginaires et l'humour involontaire de l'association des mots le fit rire. Il allait me raconter l'histoire du siège de Mayence quand il s'interrompit pour dire :

« Je vais te trouver le passage dans la *Campagne de France* de Goethe. » Cela tenait en dix lignes, mais, l'imagination aidant, la description vous enflammait comme le morceau de bravoure de quelque film épique. Goethe est à une fenêtre, en face de la porte de la citadelle. A l'heure dite, au milieu d'une haie rendant les honneurs, la colonne des Français sort. D'abord des tambours, battant à tout rompre, ébranlant les carreaux des fenêtres. Puis une armée d'éclopés et de malades, petits, noirauds, barbus, les yeux brillants de fièvre. L'écrivain les compare à un peuple de nains nouvellement sorti de ces demeures du fond de la terre, comme il y en a dans les contes allemands. Les Français entonnent alors *la Marseillaise* et Goethe, dont l'oreille est bonne, sait entendre bien autre chose, dans ce qu'il nomme un « Te Deum révolutionnaire ».

Des années après, nous en avons reparlé. Il aimait toujours autant cette impressionnante description, ce témoignage précieux, d'un observateur d'une telle qualité, sur une période passionnante. En outre, dans ce journal plein de petits faits vrais, fourmillant d'anecdotes et de retours soudains à une claire hauteur de vues, Goethe se montrait meilleur, à son goût, que dans d'autres livres où il le jugeait trop olympien.

Les honneurs militaires, les armes et les bagages, c'était important... mais une autre condition avait été mise à la reddition. Ces Méridionaux que j'estimais de ne s'être point rendus avaient fait serment de ne pas porter les armes contre les alliés. Tiens ? disais-je. Il ajouta seulement, l'air horrifié : « Ce sont ces soldats de Mayence que l'on a envoyés contre les Vendéens ; ils se sont conduits de façon épouvantable. »

Sans penser à lier les choses, j'avais vu l'Histoire comme elle me plaisait, comme cela m'arrangeait. D'autres fois, qui saurait pour moi rétablir la balance, me dire ces suites, même et surtout celles qui ternissent, après lui ?

Cette année-là, à Mistra, on réparait, on restaurait. Comme, en outre, certains bâtiments servaient de couvents de femmes, le public, surtout masculin, n'y était pas admis. Cela a le don de me mettre en rage. Enfilées les unes au bout des autres, les imprécations, les allégations injustes, les menaces voilées ou claires, les malédictions, et toutes les variétés du sarcasme montaient à mes lèvres. Patrimoine de l'humanité, vol à main armée, venir de si loin, pas le droit, qu'on les chasse, que le Louvre soit fermé quand ils viendront à Paris et ils verront... Puis les explosions s'organisent, on fignole, comme ces lettres dont on fait les brouillons la nuit. Elles sont dignes du Grand Siècle, toutes leurs flèches tuent. Tueraient. Leurs destinataires ne les reçoivent jamais. On s'est seulement tourné de l'autre côté et rendormi.

Mais cette fureur est un exercice. Sous le bouillonnement, il y a déjà le sourire du plaisir d'avoir à trouver la faille. La joie de tourner dans sa main le trousseau de passe-partout où une clé donnera la solution. Vanité fouettée, vanité fouettante.

Quelqu'un entra soudain dans la pièce où je regardais des fresques. Un écolier américain. Je lui parlai. Il me demanda avec franchise si je faisais semblant ou si je trouvais vraiment ces peintures belles et intéressantes. Lui faisait semblant. Chaque œuvre d'art m'a toujours donné envie de faire des convertis. J'essayai donc de le convaincre en le prenant dans le sens du poil et en lui citant des références qu'il pouvait connaître. Il acquiesçait sans trop manifester de passion. Je fus bientôt à bout, et pour reprendre le temps de la réflexion, je laissai filer une diatribe toute prête contre qui, etc.

Son visage s'éclaira. « La Supérieure du couvent est ma tante, venez. » La religieuse me remercia d'avoir placé ce chenapan du monde barbare moderne sur une bonne voie. Elle nous mit entre les mains d'une gentille sœur qui détenait, si j'en croyais mes oreilles, le pouvoir des clés.

Grands voiles sombres, yeux immenses dans des visages impassibles, les fresques de style byzantin se répétaient. Mon élève avait fait des progrès, mais la dose était suffisante. Dans la dernière chapelle, une cuvette pleine de plâtre frais et un chapeau. Le bruit venait du sarcophage qui trônait au milieu. Un visage bronzé aux cheveux mouchetés émergea. (A l'époque, j'aurais donné à cet homme quarante ans — et pourquoi pas cent ? — je pense maintenant qu'il en avait vingt.) Il riait franchement de son apparition tombale. Nous échangeâmes quelques mots en italien. Soudain, il changea de visage et me demanda de lui promettre de revenir à cinq heures. Je raccompagnai le Grec d'Amérique chez sa tante, je m'assis un moment puis filai, le moment venu à mon rendez-vous.

Le maçon me dit seulement, sur un ton grave, que ce serait un grand honneur pour lui et sa famille si je voulais bien assister au mariage de sa sœur qui avait lieu ce soir-là. J'objectai mon ignorance du grec, et la gêne de cette intrusion. Rien n'y fit.

Qu'est-on en voyage si l'on est point disponible ? Je l'accompagnai donc chez lui. Je l'attendis dans une pièce qui fleurait bon l'abandon — celui des gens qui vivent dehors — tandis qu'il se changeait. Pantalon beige, chemise claire à manches courtes, cheveux passés à l'eau, il revenait déjà.

La réception avait lieu à quelques pas de là et nous étions à l'heure. Un escalier raide passé au lait de chaux, une grande pièce nouvellement blanchie. Deux coffres, deux chaises, un poste de radio à piles posé par terre dans un coin. C'était tout. Les nouveaux mariés entrèrent. Je revois une robe noire, un pantalon et une chemise clairs. Deux paires de souliers qui devaient faire effroyablement mal aux pieds. Un couple de gens âgés entra, puis une dame seule, la mère de mon ami.

Je cédai la place assise sur le coffre. On me força aussitôt à prendre une chaise. Le maçon, à ce que je pus saisir, raconta notre rencontre et mon histoire. Le marié alla chercher le poste, tira l'antenne, appuya sur un bouton et nous fit entendre une voix américaine quelques secondes. Il m'expliqua que c'était le cadeau d'un cousin qui était marin aux Etats-Unis.

La jeune femme prit un plateau posé par terre dans un coin de la pièce. Sept pâtisseries et sept verres d'eau. Elle fit le tour en commençant par moi. Je remerciai et formulai un souhait de bonheur.

Le maçon a embrassé sa sœur, échangé quelques mots avec sa mère et m'a pris par la main pour m'accompagner dehors. J'ai serré des mains. Nous avons dîné de quelques brochettes. J'étais si fatigué que je revois seulement une maison avec une treille, une chambre avec le portrait de la Supérieure du couvent au-dessus de la cheminée. Photo jaunie mais encadrée comme une relique de la femme alors encore jeune. Un lit immense où je m'effondrai.

Le lendemain, la mère du maçon me réveilla en posant sa main sur ma tête. Elle me regarda avec une sorte d'étonnement. Elle me fit ensuite comprendre par gestes qu'elle allait revenir en m'apportant quelque chose à manger. Je goûtai à cette prune verte qui marinait dans le jus jaune d'un verre et courus vomir par la fenêtre.

Mon ami vint ensuite et me conduisit jusqu'à l'arrêt du bus que je devais prendre. (J'avais envie de dire quelque chose au sujet de la traînée cachée par la treille le long du mur, mais abandonnai, ne sachant comment faire.)

Dernier café au lait apporté par un garçon qui tenait ses plateaux comme la Justice ses balances. C'était bientôt l'heure. Je montai dans l'autobus et le maçon vint me parler près de la fenêtre. Comme nous partions, je lui demandai : « Où avez-vous dormi ? » Avant de faire un geste d'adieu, souriant, il me montra l'énorme arbre qui était au centre de la place du village.

Mon père surprenait souvent ses interlocuteurs en demandant, au beau milieu d'une conversation sinueuse : « Comment en sommes-nous arrivés à parler de cela ? » Il fallait retrouver le zigzag des associations d'idées : on n'abandonnait pas sans avoir trouvé. De même, il aimait questionner sur la source, la genèse des activités et des intérêts.

Ainsi nous cherchions ensemble la lointaine origine de mon attirance pour les outils. Et ses souvenirs sur lui-même et sur moi enfant venaient aider à la réapparition des miens. Ce que nous nous racontions alors s'entrecroisait et s'éclairait.

De cette façon, j'ai retrouvé l'histoire du

premier outil possédé pour une raison autre qu'utilitaire. C'était une faucille trouvée dans une ferme de Provence. Plutôt un squelette de faucille puisqu'il ne restait que le fer : le manche en bois avait disparu. Elle n'en était que plus élégante dans sa ligne terminée par la pointe de la soie. Aile d'oiseau (j'ai su plus tard que son vrai nom était « volant »), serpent, point d'interrogation, hiéroglyphe signifiant couper. J'aimais aussi penser qu'elle était la trace laissée par un geste. Puis il y eut la fourche à trois dents, d'une seule pièce, car on l'avait contrainte à pousser ainsi. Un « liadou » de Corrèze, et la hache à bûcher au fer élégant, au manche terminé par une grosse poire que la main du sabotier avait polie. De là on passait sans s'en apercevoir aux rabots en série et aux ensembles : panoplies complètes du sabotier, du bourrelier.

« Je vois, disait-il, mais encore avant ? » Une admiration depuis l'enfance pour l'adresse manuelle, le faire, le tour de main. Sans doute un interdit à transgresser, une position à conquérir. On ne laisse entre les mains des enfants ni les outils, ni les armes : ce sont des choses qui recèlent une force, dangereuses si l'on n'a pas sur elles la maîtrise que possède l'adulte. Il doit y avoir dans les familles quelques rites inaperçus correspondant à cette initiation. Il me fallait trouver le pourquoi d'un goût pour des formes essentielles, d'un désir de conserver, enfin préciser le sens du mot « dynamique » qui venait de m'échapper à leur sujet.

Est-ce que je savais toujours précisément à quoi un outil servait ? Non. La preuve : le fameux arc à carder, l'incompréhensible objet.

L'étrange instrument m'était d'abord apparu dans une rue de Bombay, porté par un homme qui marchait à grands pas. La forme des anciennes harpes sumériennes ou égyptiennes : une base rectangulaire, une haute tige courbée, une seule corde. Les vieillards, surtout en Inde, ont souvent l'air inspiré... L'élégance de l'objet tenu vertical avait fait le reste : mon imagination avait reconnu un barde errant, chantant de village en village les anciennes épopées.

Au Liban, de la fenêtre d'un autobus, j'ai aperçu le même objet porté par un jeune garçon qui marchait, lui aussi, à grands pas. J'ai rapidement désigné la silhouette à mon voisin et demandé l'explication. A peine avait-il émis quelques gling, gling, en imitant le geste des doigts sur la corde d'une harpe qu'une tape sur l'épaule vint l'interrompre. Il y eut une vive conversation en arabe accompagnée de gestes et de regards presque meurtriers. Puis mon voisin, vexé, car il avait perdu la face, voulut bien dire que cela servait « aussi » à faire les lits. L'avenir s'assombrissait.

A Ramallah, près de Jérusalem, en accompagnant un ami qui se rendait chez son tailleur, j'ai vu dans la cour d'une maison, un homme penché sur une couverture piquée. Près de lui un pilon en bois poli par l'usage, en forme de bouteille. Par gestes, il expliqua que cela servait à battre une corde d'arc « pour le coton ».

Une demi-heure après, nous arrivions à Jérusalem. Dans la rue qui menait à la porte de Damas, le même pilon brillait à la main d'un jeune homme qui avait aussi la fameuse harpe sur l'épaule. (Tu brûles, tu brûles, me disais-je.) Mon compagnon m'aida à sauter de la voiture, toutes affaires cessantes, pour courir à la poursuite du harpiste.

Marcher hâtivement parmi la foule qui s'engage dans le labyrinthe de la vieille ville par la porte de Damas, sans quitter des yeux le carré orange d'une chemise n'est pas aisé. Mes longues enjambées alternaient avec le sur-place, le cloche-pied et les évitements subits. Parfois un passant se détournait, démasquant soudain un mendiant aveugle, ou le porteur d'une lourde charge, les yeux fixés sur ses pieds.

La porte franchie, la ruelle dans ce souk à l'allure de fourmilière, se divisait en deux. Plus rien. Le jeune homme avait été happé par la foule. Il fallait aller vite : je choisis la droite. J'avais le fou rire en pensant à ces vieux films qui mettent en scène des poursuivants dans des ruelles encombrées et culminent inévitablement dans de grands renversements d'étalages. Je voyais déjà les pastèques rouler, les ânes fuir, et des pieds chaussés de babouches dépasser seuls d'une échoppe fracassée.

La seconde d'après, l'homme était devant moi, marchant habilement en zigzag parmi les passants, malgré son fardeau. Je le vis bientôt entrer dans une boutique de souk : une arcade peinte en bleu clair, des ballots de coton, des couvertures piquées. J'arrivai dans ce lieu frais sur ses talons et lui posai ma question qui venait de si loin. Au début, il ne semblait pas décidé à se laisser apprivoiser. Mutisme, ou réponses du genre : « Je ne suis pas Anglais, vous n'avez qu'à parler arabe. » Du tac au tac, j'objectai que je n'étais pas Anglais non plus mais que je ne demandais à personne de parler français. Il me fit signe de m'asseoir pour assister à la démonstration.

Armé du pilon, il gratta la corde en boyau de mouton. Les vibrations de celle-ci contre une masse de coton la transformaient en de légers flocons qui retombaient plus loin. Un tapis feutré devenait de la neige. Et c'est à domicile qu'il allait rajeunir les couvertures piquées.

Naturellement, il avait besoin de ses outils. Mais ne pourrait-on pas trouver au moins le battoir ? Je ne saluai d'aucun commentaire l'arrivée soudaine de deux battoirs neufs en bois blanc. Un jeune garçon grimpa dans une soupente qui s'ouvrait sur un carré de ciel bleu et, après avoir fourgonné un moment, en rapporta un autre, patiné et éraflé. Il en demanda un tout petit prix. Mais à l'instant précis du paiement, comme sortant de terre, le père, sorte d'Ali-Baba débraillé, fit son apparition. Sans un mot, il tendit la main, pinça le billet et l'enfouit dans la poche de sa large culotte.

A la suite d'un conciliabule en arabe, je subis un fort long prêche sur la rareté de ces arcs. Personne ne savait les faire ici. Ils venaient du Liban, il était donc maintenant impossible de s'en procurer. D'ailleurs, cela valait, à soi seul, une fortune. La conclusion de tout cela : je devais revenir le lendemain à cinq heures. Je remerciai et partis non sans avoir pris quelques repères.

A l'heure dite, le jour suivant, deux arcs à carder trônaient dans la boutique. Ali-Baba était en pleine plaidoirie au sujet d'une paire de draps. Souriant, car dévoré de curiosité, le savetier d'en face me tendit une chaise. Il maniait bien le français, aussi amenai-je au bout d'un moment la conversation sur certains grands malheurs de la vie comme celui de ne payer point le vrai prix des choses parce que l'on ignore la langue du pays... Visiblement satisfaits d'un long marchandage, les précédents clients partaient, l'œil vaguement complice : bien sûr, mon histoire avait fourni un de ces entractes bienvenus, nécessaires à l'aération des bonnes transactions.

Le cordonnier-interprète prit un air navré et moi une mine de grand deuil. Fendu, vieux, inutilisable, tel était bien l'objet. Sûr. Mais deux choses étaient à considérer : Ali-Baba s'était déplacé pour aller chercher l'arc, il lui avait fixé une corde neuve qui valait fort cher. Il n'y avait certes rien à opposer à cela. Nouveau détour : est-ce que je n'allais pas le vendre ? Son visage s'éclaira quand il apprit que les mains françaises étaient inaptes au maniement d'un tel engin. Finalement, un chiffre fut lâché, puis réduit. Apercevant les livres israéliennes, Ali-Baba annonça qu'il préférait les « livres-dollars ». Le même nombre. Tout repartit à zéro. Autres comptes, autres airs consternés. Un geste d'abandon. Et voilà que la grande invention de la conversion des monnaies apparaît. Le savetier se porte garant des chiffres soi-disant mystérieux pour Ali-Baba de mes billets. C'est justement la numération que nous appelons arabe.

Mon vendeur haletait. On le dépouillait de tous ses biens. On le noyait. Il en perdait son pantalon. Le cordonnier avait l'œil fixe d'un qui vient de croiser une licorne en plein midi. Pour moi, je flottais agréablement et m'habituais déjà par la pensée à rentrer chez moi cet engin à la main.

J'étais parti pour Israël sans bagage, ce qui avait paru fort suspect : questions, fouille (?), etc. Grâce à cette grosse perche d'un mètre soixante-dix, je n'avais pas les mains vides (comme je ne sais quel nihiliste ou espion prestidigitateur) mais, en plus, j'étais classé parmi les résolus que l'on ne contrarie à aucun prix.

A Orly, le chauffeur de taxi fit entrer en un tournemain l'arc dans sa voiture. Sans un mot. Mais, à mi-chemin, après un long regard dans le rétroviseur, il ne put se retenir : « Cela doit être vieux comme Hérode ce que vous avez là ? »

Cette rue de Katmandu, je m'étais construit un truc pour la retrouver : un brocanteur dont je hantais la boutique y demeurait et quelques carreaux de céramique restaient collés à son mur.

Monsieur « Also » (c'est le mot qui revenait le plus souvent dans ses discours) avait fini par me lasser. On tournait autour du pot. Il se lamentait. Il se dérobait. Son stock n'était pas chez lui pour le moment. Ce genre de commerce était puni lorsqu'il était pratiqué avec des étrangers qui exportaient les œuvres d'art, etc. J'allais le voir tous les jours et c'est ce qu'il aimait. J'avais fait l'acquisition de quelques bricoles sans avoir eu, comme je l'espérais, accès au sanctuaire. Je partis donc pour une autre région du Népal, plus proche de la chaîne de l'Himalaya — sans prévenir Monsieur Also. Sans même un petit au revoir à la boutique aux carreaux.

Puis je revins, résolu à pêcher dans d'autres eaux.

On n'échappe pas aussi facilement à la patience et aux calculs d'un Asiatique. Quelques jours après mon retour, un galopin m'arrêta dans la rue, me prit la main, disant : « Venez voir mon maître. » Je lui demandai qui était son maître. A ses explications, je reconnus l'ineffable Monsieur Also. Je dépêchai l'enfant en avant, porteur d'une sorte d'ultimatum : il fallait, cette fois-ci tout montrer, connaître les prix, etc. Sinon, c'était la brouille.

L'effet ne se fit pas attendre. Le grand jeu. On tira à l'instant le rideau de fer derrière moi. Nous serions tranquilles. Il avait été très inquiet de ne plus me voir. Et il trouvait déplorable ce gaspillage d'argent pour un voyage alors qu'il y avait, pour les billets verts, de bien meilleurs usages.

A chacun ses méthodes. Moi, je faisais des lots, des piles, des tas. Dans un complet mystère. Et, de temps en temps, j'opérais des changements. Si Monsieur Also ne devinait pas précisément ce que je cherchais, alors il me montrerait tout, jusqu'aux objets les plus inattendus. Et les prix ne seraient pas fonction de la passion que je pourrais — par distraction — montrer pour tel ou tel genre d'œuvre d'art. Mon marchand était tout à la joie d'avoir retrouvé la brebis perdue. Sous la pile de peintures roulées, fleurant bon le beurre rance tibétain, il y avait une merveille.

Je recomptais une liasse de billets lorsque l'enfant qui apportait du thé — symbole de la conclusion du marché et annonce d'autres développements — apparut en haut du petit escalier de bois. Cela me fit penser que, dans tout cela, une énigme demeurait. Comment ce petit coursier avait-il mis la main sur moi ? Je lui posai la question. Tout net, il répondit : « Mon maître m'a demandé de retrouver le Blanc au nez rouge qui venait au magasin. Alors voilà. » En altitude, les proéminences faciales sont-elles davantage atteintes par le soleil ? Toujours est-il que ce qui était vrai avant mon départ pour la montagne était criant de vérité maintenant. J'éclatai de rire et partis en me disant que je m'étais embarqué ce matin-là pour une merveilleuse journée. La suite serait-elle à la hauteur ?

Je sors dans la rue, la joie de la trouvaille au cœur et du rire encore dans les gerçures de mes lèvres. Et que vois-je, là en face de moi ? Un fabricant de tuyaux de pipes.

Il faut se figurer une échoppe grande comme une guérite. Un artisan népalais âgé, menu comme un adolescent européen. Il faut dire l'image pieuse au mur (Krishna le bleu), la petite réserve de bois servant d'appui à l'accroupissement et, merveille, les orteils utilisés comme étau. Mais ce que l'on ne pourra jamais imaginer, ce sont ma tête et ma surprise quand je vis que l'homme utilisait une drille à pompe pour creuser ses tuyaux.

Une drille à pompe, c'est ce que l'on fait de plus ingénieux. Cela fonctionne comme les toupies mécaniques à vis. Le mouvement de pression de haut en bas sur une barre transversale se transforme en un mouvement rotatif alterné de la mèche ou du foret, etc. Bref, une merveille. Je n'en avais vu que des reconstitutions et me croyais en pleine préhistoire (alors que les bijoutiers français en utilisent maintenant... Mais ce qu'on a devant le nez, c'est ce que l'on aperçoit en dernier... passons). Il faut le dire : l'engin qui marchait si merveilleusement devant moi, c'en était un défi, avait comme volant une simple pierre percée.

Je m'arrêtai devant l'homme. Dès qu'il en eut conscience, il leva les yeux. Je lui demandai alors son prix pour l'outil qu'il tenait. Il n'eut pas l'air étonné. (Les Blancs, vous savez...) Encore moins scandalisé que je lui ôte rien de moins que son gagne-pain.

Il me demanda quatre dollars. Je les lui remis aussitôt. Avec le plaisir que l'on peut imaginer, je pris le chemin de mon hôtel afin d'y déposer le butin du jour. Dans le hall, une sorte de sympathique escogriffe rêvassait sur un fantôme de canapé crevé. Je demandai ma clé et posai l'engin sur le comptoir. L'homme se déplia comme un pantin magique et me pria, par le plus court chemin, de lui céder la propriété de mon dernier amour. « Il était Américain, c'était justement l'objet de son étude, cela irait tout droit dans un musée, etc. »

Le confrère était sympathique. Je devais au moins l'accompagner chez le fabricant de tuyaux de pipes. Là, nous verrions. Je retrouvai la rue, mais l'endroit précis, non. Je reconnus des boutiques voisines, mais je m'avouai incapable de remettre la main sur mon artisan. Cette affaire avait tout l'air d'un enchantement. Finalement, je fus sûr de l'endroit. La guérite, fermée par une porte en planches, se trouvait dissimulée par un éventaire de petits tas de poudres colorées. L'Américain douta du bon état de ma raison quand je lui affirmai que « c'était là ».

Quand je posai la question au remplaçant de l'homme aux tuyaux de pipes, il me répondit le plus calmement du monde que — il y avait de cela moins d'une heure — son collègue lui avait dit qu'il se rendait pour huit jours à la rizière de son frère et fermait boutique en attendant, car il venait de gagner beaucoup d'argent.

Ma fringale de lecture était telle que, lorsque j'étais en première, j'avais organisé une bibliothèque de classe afin d'avoir davantage de livres et surtout de profiter du choix fait par d'autres (nous votions). Il y avait les prêts, les échanges, les piles de livres en solde, ce qui faisait que je rapportais des romans à la maison. Il les regardait d'un air amusé, me reprochait gentiment le temps perdu et mimait une conversation entendue chez le libraire de la ville : « Vous cherchez un roman, madame. Oui. Ils sont rangés par-là. Peut-être un roman d'amour. Oui, si possible. »

Il les feuilletait, à grande vitesse, souvent en commençant par la fin. C'était cela qui était agréable, me répondait-il, quand je criais au scandale et à l'irrespect. « C'est toujours la même chose... Je vois de vrais romans, je n'ai pas besoin d'en lire. » Et comme je ne comprenais pas, il raconta.

Un homme et une femme se présentent pour signer un acte. Ils déclinent leur identité. On consulte l'acte précédent. Il semblait que quelqu'un avait commis une erreur en recopiant. Divorce, remariage, par un extrême hasard, avec une femme qui portait le même nom de jeune fille. Il parcourut discrètement : même prénom, mêmes date et lieu de naissance. C'était la même femme. L'homme dit simplement : « Ne cherchez pas, tout est en ordre, c'est bien le même nom. » On passa. Mais quand ils se trouvèrent seuls un peu plus tard, l'homme dit : « Cela vous intrigue ? » Mon père répliqua : « Je ne me demande pas pourquoi vous avez réépousé la même femme, mais pourquoi vous êtes allé jusqu'au bout du divorce. » L'homme, sur le ton de l'évidence : « Eh bien, rien que pour lui montrer. »

Il n'empêchait que l'on devait respecter les livres. Cela allait des mains propres quand on était enfant à l'espace nécessaire dans les bibliothèques : on « éreinte » les volumes en les tirant lorsqu'ils sont trop serrés. Les inscriptions dans les marges passaient pour inutiles et les moustaches au portrait de Cicéron non seulement barbares (de cette barbarie de la petite classe), mais négligeables, attardées.

A travers les livres, nous jouions ensemble à un jeu qui fleurait le parfum discret des histoires sans paroles. Je ne venais jamais sans quelques livres. Je les déposais en un endroit où il irait quand je serais parti. Ils étaient censés me désencombrer, ils prolongeaient mon passage, mais surtout ils l'aidaient à vivre. Mais il y en avait un dont je ne parlais pas, que je ne commentais pas et qu'il trouvait sur la table de la salle à manger. Laissé un instant seul, il le manipulait, avec attention, rapidité et une façon bienveillante de ne point vouloir se laisser duper. Personne ne riait lorsque cet homme de quatre-vingts ans disait d'un homme de cinquante qu'il lui trouvait une mentalité « vraiment antique ». On voyait tout de suite où était le renouvellement.

Pour le livre laissé — comme un appât — sur la table de la grande pièce claire, c'était la même chose. Il amenait l'auteur ou le sujet dans la conversation. Il avait vu l'essentiel, de haut, et cela se reliait déjà, tout vivant. On s'apercevait alors que ce diable de coureur immobile était devant vous.

Pour se rendre à la maison oubliée, on traversait d'abord un champ d'oliviers. Envers-endroit, feuilles vertes, feuilles noires et les fruits, si l'on regardait bien, couleur grenat. Puis on trouvait le chemin et, dès lors, le bruit des ruisseaux ne vous quittait plus. L'eau rebondissait en courant vertigineusement dans son berceau de ciment. Une feuille morte ou une brindille y filait comme un skieur et franchissait, d'un coup de rein semblait-il, les plus grands obstacles. L'autre ruisseau était moins domestiqué mais, aussi, plus horizontal. Il n'avait pas son tunnel de ronces, mais il savait former de minuscules étangs transparents qui reflétaient des herbes. Ici ou là, de maigres filets affolés comme des enfants perdus se jetaient courageusement en travers du petit chemin pour rejoindre cette attirante rivière en miniature.

La pente commençait et, comme s'il se réjouissait de participer bientôt à une entreprise bien plus importante, le filet d'eau se mettait à chanter. Au dixième ou douzième olivier, son air de flûte dansant était couvert par une rumeur grondante.

On arrive ensuite à ce que je baptise « le grand torrent ». On le voit très bien, en entier, de l'un et de l'autre côté du pont. Côté amont, des arbres poussent dans son lit et le regard ne va pas loin. Quelques cuvettes d'eau dormante, tapissées de calcaire et, puisqu'il faut bien se rendre à la mer, en deux endroits, de ravissantes petites cascades. Côté aval, c'est plus couvert, on voit des écluses naturelles, des retenues, des déversoirs, des dérivations, des barrages de brindilles accumulées et, racontée en entier, toute l'histoire de la hauteur du ruisseau depuis la fin de l'été. On contemple le cheminement de l'eau, les détours, les stagnances, les goulots, les défilés et les hâtes soudaines. Cette course enfiévrée... et l'on se prend de pitié pour ce courageux torrent qui lutte contre lui-même sans le savoir. C'est lui qui cimente les cuvettes, élève les barrages de fétus, les colmate de boue jaune. On est si choqué par cet illogisme que l'on se retient à grand-peine d'aller délivrer toutes les Andromèdes, de curer ce lit, d'éviter ces efforts au vivant petit serpent d'eau. Le lac vert et la lagune jaune méritent, bien sûr, d'être conservés et même consolidés, mais comme cette malheureuse cascade à trois étages en diagonale méritait mieux !

Quand on entend encore le bruit, les bruits mêlés du torrent, mais qu'on n'y pense plus, c'est qu'on est arrivé. On tourne tout de suite avant le poteau qui porte l'écriteau « propriété privée ».

Ensuite, c'est tout simple. Deux maisons anciennes, étroites et hautes, mal fermées et abandonnées. Le soleil mange les volets. Les carreaux ont, par endroits, sauté et derrière un demi-survivant, au deuxième étage, il y a la régulière floraison des nids de guêpes. Une avenue en terrasse fait se rejoindre les deux façades. Dans l'intervalle, se trouvent deux constructions. L'une ressemblerait à un lavoir abandonné, carré, bordé de pierres en pente sur ses quatre faces. Mais, si l'on essaye, on voit que cela ne se peut pas. J'ai imaginé une cressonnière, une grenouillère, une salamandrière, une nénupharière... A côté, c'est un reste de tonnelle, à demi couvert par un rosier tout troué. Deux bancs, faits de carreaux de briques. Une table de pierre, ancienne meule de moulin à huile dont on a bouché le trou central. De jolis arrangements de briques disjointes d'un orange passé. Une niche, un petit tuyau de fer, un filet d'eau si muet — parce que si continu — qu'on ne l'avait pas remarqué. Un bac en belle pierre. L'eau y est claire, mais tout au fond brunissent les petites feuilles du rosier. Un minuscule trop-plein permet au filet d'eau de repartir en empruntant une petite gouttière trahie par une ligne verte dans la végétation qui recouvre le mur. Comme le pied de la table, les piliers qui bordent la tonnelle ont été fabriqués avec les moyens du bord : des pierres enrobées d'un mortier assez grossier.

Enserrées dans le rectangle moral d'une ficelle délavée, des fleurs continuaient d'envoyer un message au milieu de ce mutisme et de cet abandon. Des soucis, des géraniums, un rosier minuscule titubant sous le poids d'une seule fraîche rose d'hiver, blanche. Cela intrigue, ces fleurs qui persistent. En regardant bien, on trouve dans l'herbe le serpent vert d'un tuyau d'eau. Sans doute quelqu'un se charge-t-il d'arroser.

Je reviens souvent, avec entêtement, pensant toujours que la prochaine fois, je trouverai quelque chose. Mais c'est tout le contraire. Le visage des deux maisons se défait, la clé de voûte au-dessus de la porte a glissé. Même mes traces restent dans le sol. Cependant, de visite en visite, mon impression se renforce d'être dans la maison d'un Romain, je veux dire d'un ancien Romain, avec son élevage de poissons, sa tonnelle, sa treille, et cette table fraîche devant ce beau paysage de terrasses, de douces collines et de cyprès, table bien faite pour écrire les lettres à Lucilius et toutes ces versions latines où l'on annonce un flacon de vin de sa terre, où l'on parle de la vie qui est douce, de l'amitié qui est longue, aussi de la mort qui ne fait pas trop peur.

Je me disais qu'un capitaine romain à la retraite n'est qu'à deux mille ans de nous. Que si l'on ne fait que la réparer, au fur et à mesure, une maison peut garder sa forme et son plan tout ce temps-là. Mais après tout, on aurait pu en dire autant de bien des maisons de cette région du Var, identiques depuis toujours, parce que leur système de construction obéit aux mêmes impératifs dictés par le soleil, la pluie, le vent. L'impression demeurait cependant plus forte que le raisonnement trop simple : que voulez-vous, quand j'étais assis sur cette banquette de carreaux de terre cuite, je me sentais à Pompéi ! Je ne voulais pas descendre du cheval que j'avais enfourché. Entre le souci et le volet, entre le filet d'eau et les ronces, entre la tonnelle et le mystérieux tuyau, j'ai continué à aller et venir. Et j'ai bien fait.

Savez-vous que, sur le mur de la tonnelle exposé maintenant aux intempéries, et regardé dix fois, on voyait deux lignes noires horizontales entre lesquelles apparaissaient des traces de lettres sombres à demi effacées. Les capitales, genre antique, où l'on reconnaissait un A, un T, un O, puis un R et encore un O tout à fait au début, juste avant la fin de l'inscription, on lisait I,U,M. Cela devenait bien net : « O fortunatos nimium », la suite, « sua si bona norent agricolas » manquait. (« ô, comme ils seraient heureux, s'ils connaissaient seulement leurs richesses, les paysans. ») Et, pas loin, une vaillante petite fleur rouge et noire, peinte, elle, qui devait orner l'inscription

J'ai demandé l'explication. L'ancien propriétaire était un professeur de latin en retraite. Frappé de la rencontre entre ces lieux et ses livres, il a poussé du doigt la ressemblance. Elle y était bien, avec cette force sûre, ce simple parfum de deux mille ans. J'ai touché du doigt le si beau O (en forme de lèvres qui s'exclament) du début du message avant de repasser sur le pont du torrent. Je sentais près de moi l'homme qui ne regardait pas ce que j'écrivais mais observait comment je trouvais le sens de mes versions latines.

Ma grand-mère habitait une maison de retraite dans un petit village situé à trois kilomètres de la ville. J'aimais cette promenade, un pont à traverser pour vous mettre dans une île, un deuxième pont pour en sortir, ensuite une belle route toute droite, bordée de peupliers. Nous l'appelions « la levée ». Sur la gauche, de vaines pâtures ; à droite, mes chers étangs. En hiver, la rivière se mettait en crue. Seule la route émergeait assez fièrement au milieu d'un paysage liquide. Puis, à mon grand regret, la rivière retrouvait le chemin de son lit et nous n'avions plus qu'un cours d'eau normal, domestiqué, contenu par les remparts des quais. Le journal local commentait la hauteur de l'eau, reproduisait des photographies que je trouvais amusantes : du foin dans les basses branches d'un arbre, un homme amarrant une barque à la poignée de la porte de sa maison, un chat réfugié sur le toit d'une cabane et visiblement amer d'avoir été oublié là par Noé.

Une année, répondant aux vœux des enfants, l'eau recouvrit la route. On décida, à la maison, qu'il ne fallait pas imposer à ma grand-mère d'inquiétude supplémentaire. J'irais donc lui servir de garde.

A l'heure dite, alors qu'il faisait encore un peu jour, je me rendis à l'embarcadère. La barque était en tôle goudronnée (je fus un peu déçu : j'aimais beaucoup mieux celles en bois souvent peintes en vert). A bord, quelques hommes engoncés dans de gros vêtements murmuraient de façon indistincte avec le patron qui tirait lentement sur ses avirons. Les derniers reflets d'un coucher de soleil pâle s'éteignirent. Il ne resta plus que notre groupe, un peu plus noir que la nuit, un clapotement régulier, et l'effrayante masse sombre d'un grand peuplier découverte chaque fois au moment de la frôler. J'entendis le rameur dire qu'un piquet de clôture en ciment ou en métal avait, le matin même, raclé le fond de son bachot et que, si un tel obstacle se présentait mal, il pouvait fort bien éventrer la coque. Bien sûr, il y avait des compartiments à air... mais tout de même. Malgré une peur vague, je m' endormis.

Un changement dans l'équilibre de la barque me réveilla. Un homme me faisait face. Il venait d'allumer une cigarette mais gardait à la main un grossier briquet de laiton dont la lueur déformait son visage. Avec un rire effrayant, il parlait au batelier tout en me montrant du doigt. Avant qu'il remette en place le capuchon de son lumignon, j'eus le temps de voir briller un objet qui dépassait de sa poche de poitrine. Une chose inconnue mais qui ressemblait à cette pièce de cuivre surmontée d'une petite boule qui termine la gaine de cuir d'un poignard. Je compris. Aussitôt arrivés, peut-être même avant, mon compte serait réglé, à la faveur de la nuit désertée des hommes, au bord de cette eau noire qui certainement ne rendait pas les corps. Et si vous aviez lu la nouvelle de Paul-Louis Courier *Une aventure en Calabre,* c'était encore pire : mon histoire à moi n'allait pas se terminer gaiement comme celle de ces deux enfants. Le piège était là.

J'avais payé mon passage à cet infernal équipage en prenant pied sur le noir esquif. Aussi, sans demander mon reste, dès que le sol gratta le fond de la coque, je sautai à terre, tant pis pour la boue ; je courus vers la maison connue et ses lampes, échappant ainsi à mon bourreau.

Ma grand-mère se montra ravie de ma visite, presque envieuse de cette belle partie de canotage. Bientôt, elle me dit qu'il était temps de repartir. Je l'informai que la retraite était coupée jusqu'au lendemain à huit heures. Cela tombait bien puisque je venais lui servir de garde.

Elle m'expliqua où trouver un oreiller ainsi que la façon de disposer ma propre personne et la couverture « de voyage » sur le divan. Je pris soin de bien placer une clochette à la portée de sa main sur la table de nuit. Je dormis comme une souche. Elle aussi. Telles ces bestioles algébriques qui s'annulent, sa maladie et ma garde me parurent, au matin, des songes. L'ogre aussi, tant le passeur était gai, et le paysage du retour lumineux.

Aussi, c'est à peu près sans l'impression d'arranger que je répondis à mon père que je n'avais pas eu peur durant le voyage nocturne. Il rit mystérieusement quand je lui dis que j'avais dormi comme un sonneur sans que l'on ait eu le moindre besoin de moi. Il ajouta, évasivement : « C'est peut-être aussi parce qu'elle te sentait là qu'elle a si bien dormi. »

Le dimanche suivant, il me proposa d'aller faire un tour jusqu'à l'embarcadère. Mon père souleva son chapeau à l'intention du passeur. Ils conversèrent familièrement tandis que l'homme frottait sa barque à l'aide d'une éponge. A ce moment-là, l'autre surgit. Je le reconnus à l'objet qui dépassait de sa poche. En plein jour, en public, le moment était venu d'en avoir le cœur net. Je désignai du doigt la chose, demandant à quoi elle servait. L'homme, un tailleur, posa volontiers sur ma main une paire de ravissants ciseaux aux pointes protégées par un minuscule embout de métal.

Madame Rollet, une amie de ma grand-mère, n'habitait pas très loin et parfois je servais de messager ou de coursier entre elles. Peu de chose, toujours, un petit mot plié en quatre, un jeu d'aiguilles à tricoter ou une part de tarte. Mais c'était bien agréable de sentir que l'on pouvait vous charger d'une mission et puis il y avait aussi de menues récompenses pour le commissionnaire. Une image, un fond de madère éventé et une fois même un minuscule agenda avec son tout petit porte-mine doré.

Je gloussais en classe dès que le professeur hésitait. Je bâclais mes devoirs, traînais dans les rues au lieu de rentrer directement, refusais la science des nombres, révisais mes compositions au dernier moment, décalquais les cartes de géographie, jurais que je m'étais lavé les mains et que j'avais ciré mes souliers, répondais... Une confession générale prendrait plusieurs années. Mais pour troubler les esprits et montrer que je faisais ce que je voulais quand je le voulais, je m'étais fabriqué un double. L'agent de liaison entre ma grand-mère et madame Rollet utilisait la sonnette de façon discrète, se découvrait dès le seuil, essuyait ses semelles sur le paillasson et surprenait même la dame amie par un baise-main plongé au moment du départ. En outre, il parlait un français de thème latin, châtié, presque un peu noble. Il s'enquérait d'autres services à rendre. Quand ma mère, pour évoquer la face cachée de ce petit astre, tirait pour des aïeules un pan du voile, les dames demeuraient muettes, pensant en leur for intérieur qu'on exigeait trop des enfants. Entre elles, les critiques allaient bon train contre « ces systèmes d'éducation qui rendent les enfants nerveux ».

Madame Rollet était veuve. Son mari, à la fois brillant intellectuel et champion d'équitation avait fait d'importantes découvertes archéologiques en Chine. Il était mort en combat aérien en 1917. Dès l'annonce de la nouvelle, elle s'était engagée comme ambulancière. Puis elle était rentrée chez elle et, afin que sa fille ne grandisse pas dans un cimetière, elle avait distribué au mieux les biens personnels de son mari, ne gardant qu'un carnet, les notes prises en Asie, un Bouddha laqué sur son fond de lotus, et un très grand pastel les représentant le jour de leurs fiançailles. Il y avait aussi un narghilé.

Comme je sentais que cela ne lui faisait pas mal, je lui demandais souvent de raconter. Un jour, elle me dit qu'elle ne regrettait rien, qu'avoir vécu quelques années auprès de Paul Rollet avait été à la fois un bonheur total et une dignité exigeante pour toute la suite de sa vie.

Une fois, à propos des bonnes manières, elle me dit que c'était très important, même si cela semblait un détail. Et elle me raconta qu'on avait arrangé une entrevue pour elle avec un homme riche et séduisant. Il était plus âgé qu'elle, mais elle n'y prit pas garde. En revanche, elle remarqua fort bien qu'il faisait du bruit en mangeant. Tout s'arrêta net. Ce fut non. Sans un mot d'explication, parce que son code à elle lui interdisait de mentionner une telle chose. Lui, était peut-être encore vivant, il n'aurait peut-être pas été aviateur, mais elle ne regrettait rien : une façon de manger n'est pas un détail. Toute une vie en face de quelqu'un qui aspire bruyamment le contenu de chaque cuillerée... Moi, je pensais que cela pouvait sans doute se dire. Elle, vraisemblablement, non.

Son petit-fils avait été mon condisciple pendant toutes nos études secondaires. Nos chemins avaient divergé au moment d'entrer à l'université. Mais nous nous rencontrions encore souvent, et avec plaisir. Cela arrive quelquefois, son mariage le fit changer de style et de milieu. Sa baronne le transforma intégralement, du langage à la coupe de cheveux, en passant par les lectures, les clubs... Il lui poussa une intaille au petit doigt. Et lui qui était un drogué de l'asphalte et des néons nocturnes devint un gentilhomme campagnard quelque peu retiré du monde. Je fuyais la petite femme snob et cassante. Lui, je l'aimais bien : il avait gardé son charmant air de ne pas y toucher. Et je le plaignais un peu.

Un jour, je lui téléphonai que je serais à Nancy le vendredi suivant et que j'aimerais passer un moment à bavarder avec lui. Il m'invita à dîner. J'acceptai.

Leur manoir n'a pas besoin d'être décrit. C'était un cliché. Une revue de décoration. Tout pour la parade. Sa femme était un peu souffrante, oh ! rien de grave, et ne descendrait qu'au moment du dîner. En attendant, porto en main, pieds au feu, contemplés par deux setters irlandais bien dressés, nous jouions au jeu de combler les blancs qui demeuraient l'un pour l'autre dans nos vies. Et nous faisions le tour des amis, des anciens condisciples. Par bonnes manières, sans doute, ils étaient tous devenus ce que l'on attendait d'eux, sans surprises. Deux exceptions : un cancre notoire avait roulé le destin et défié ceux qui le montraient du doigt en devenant ingénieur du génie maritime... Un autre avait disparu, ce qui n'est pas très bien élevé mais la petite baronne avait dit, paraît-il, que « puisqu'il se préparait à être acteur, c'était on ne peut plus compréhensible ».

Nous avions tout dit. Quand la jeune femme fit son apparition, j'eus l'impression que les champs de la conversation avaient été retournés jusqu'aux quatre coins de l'horizon. J'eus un moment de vide et je prévis un dîner sinistre. C'était compter sans sa liste de questions. Légèrement irrité, je répondais sans m'étendre. Elle avait un peu mal à la gorge et comme son remède souverain pour cette affection était le bouillon, on posa à côté d'elle une élégante soupière blanche. Je remarquai qu'une petite échancrure dans le couvercle laissait passer le manche d'une fort belle louche en argent.

La conversation venait de s'arrêter encore une fois. Cela durait et l'on commençait à mieux entendre le battement de l'horloge. Mon regard fit le tour de la pièce. Sur une commode à dessus de marbre foncé, trônait le Bouddha laqué de madame Rollet. Mon sujet était tout trouvé. J'annonçai à ma belle hôtesse une histoire racontée par la grand-mère de mon ami alors que j'étais encore enfant, et dont je n'avais pas vu tout le sens à ce moment-là mais fort bien depuis. J'en étais (après avoir évoqué les « mariages arrangés ») à l'arrivée du prétendant dans la salle à manger, quand j'entendis un long « youp » aspiré. Je coulai un regard sur ma voisine. La cuillère quittait sa bouche. Elle venait d'aspirer bruyamment son bouillon. Peut-être une fausse manœuvre parce qu'il était trop chaud. Non. Pas d'erreur. Cela revenait avec une effrayante régularité. Un métronome. Tel madame Rollet, en plus, je devenais nerveux. Il fallait prendre un chemin de traverse au plus vite. Mais lequel ? Le baromètre Empire qui me faisait face me sauva. J'inventai. Le père de madame Rollet se trouva être un passionné, que dis-je, un maniaque de l'étude du temps, du ciel, des nuages, du vent, de l'hygrométrie. Il demanda donc au prétendant comment était le ciel quand il avait attelé ce matin. L'autre, pour faire l'amoureux, répondit, l'œil sur la jeune fille qu'il n'avait pas eu un regard pour cela. Après avoir raccompagné son invité jusqu'à la grille du parc, le père convoqua sa fille et lui dit simplement : « Ma petite, en épousant un homme qui ne sait même pas le temps qu'il fait, une femme va au-devant des pires déboires. Nos cousins Jaouen feraient bien de regarder à deux fois avant de recommander quelqu'un. Enfin, le tout est de s'apercevoir des choses à temps. »

Tandis que mon ami s'étonnait de ne jamais avoir entendu cette histoire et que, moi, je priais les dieux d'éviter à ce couple de tomber sur le passage de Proust que je venais de greffer sur la vie de madame Rollet, toutes les quarante-cinq secondes, fidèlement aspiré, le bouillon faisait « Yooop ».

Il est d'autant plus difficile de parler du lien de quelqu'un aux objets que celui-ci a pu varier grandement au cours d'une existence. Une chose est certaine : Mon père n'accumulait pas et s'il avait dû partir en hâte, une minuscule valise aurait suffi à tout contenir. Quelques menus objets sommeillaient dans un tiroir de son bureau, d'autres dans son placard à linge, à côté des piles de mouchoirs.

Une très belle photographie de ma mère jeune fille ne quittait pas son portefeuille. Tout en le taquinant (quand il la montrait : rarement) sur le choix d'une image aussi ancienne, elle était touchée plus qu'elle n'aurait su le dire et lui, fidèlement ému.

La montre en or de son père, à la fin de

sa vie, vint remplacer son unique montre en acier (un objet lui servait toute une vie). Comme lui, je trouvais que la suprême élégance d'une montre de gousset était d'être ultra-plate. Les sentiments avaient dû faire pardonner à la montre en or sa massivité.

Un canif plat en acier à l'aide duquel il pouvait, de la pointe de la lame, fendre le papier de la cigarette pour rouler ensuite le tube de tabac dans une feuille de papier à lui. A l'aide de ce même papier, roulé en tuyau, il recueillait en un instant la poussière dans l'œil et vous la montrait, ce qui effaçait net un reste de douleur trompeur. Au nombre des tours d'adresse tranquilles — preuves de coup d'œil, de maîtrise de soi — figurait le périlleux transvasement de l'huile du litre de l'épicier au flacon de l'huilier de table, spécialement effectué devant une fenêtre, au-dessus du tapis du salon.

L'usage de la montre à répétition me stupéfiait. Que de conditions ! Il fallait être réveillé en pleine nuit, ne pas avoir l'électricité, et quoi encore, pour utiliser cet engin qui sonnait les coups de l'heure lorsqu'on appuyait sur un bouton.

Je croyais naïvement que son étui à cigarettes en argent guilloché avait reçu sa courbure de l'usage : on ne voyait dans les magasins dont je flairais les vitrines que des étuis plats. Il m'est difficile de dire pourquoi je trouvais, d'une certaine façon, que cet objet lui ressemblait. Les coins arrondis, l'éclat très doux du métal poli par le tissu de la poche caractérisaient l'emblème du seul fumeur de la maison.

Quelques dessins ovales, au crayon Conté, représentant des ancêtres d'époque Empire, appartenaient à un deuxième cercle.

Lorsque les fusils de chasse avaient été confisqués, réquisitionnés, volés, comme l'on voudra, la spoliation, la façon de faire lui avaient déplu. Mais, au fond, il n'en avait pas besoin et puis, qui sait ? Quelqu'un se serait peut-être un jour blessé. Il avait chassé quand il était jeune avec quelquefois des hasards chanceux dont il riait encore (les trois pigeons qui tombèrent de l'arbre à quelques minutes d'intervalle). Il avait coutume de dire qu'un fusil à l'épaule était un excellent sauf-conduit : sans lui, ceux qui vous rencontraient dans les terres ou les bois à cinq heures du matin vous prenaient pour un fou. Bien qu'il fût « officiellement » contre, il lui arrivait de m'avouer à mi-voix qu'il partageait mon goût pour les armes. Après le marché, nous faisions un détour pour aller contempler dans la vitrine de l'antiquaire Fouquerand, toujours à la même place, un magnifique pistolet à pierre. Et quelques armes d'honneur offertes par d'importants personnages, chefs-d'œuvre conservés par des musées, lui semblaient des merveilles. Le jour qu'il me dit : « Un joli canon de 37 au bas du perron d'une grande maison de campagne, c'est très décoratif », je me frottai les yeux, tant les rôles paraissaient soudain inversés.

Une ancienne chaîne de montre en maillons-serpent m'intriguait un peu : elle avait l'air de garder quelques menues babioles comme une de ces incompréhensibles épingles de cravate, au fond d'une caissette de bois minuscule qui portait encore ici et là la cire rouge des envois précieux.

La merveille des merveilles — parce que je la faisais « marcher » — était sans conteste un compte-fils en laiton. Je suis presque sûr de l'avoir expérimenté pour la première fois sur la manche de sa veste. Chaque fil devenait un câble irrégulier et bourru. Le petit rectangle était envahi d'un buisson de toisons entrelacées. Une lettre du journal prenait toute la place, elle était martelée, mordillée de toutes parts ; le papier sur lequel elle s'enlevait, marqué à jamais par le piétinement d'un troupeau.

L'instrument transformait un poil en fouet de cirque et l'aile d'un papillon en un fourré sur lequel on aurait vidé des teintures. La peau de la main, n'en parlons pas. Dans cette toute petite fenêtre, le monde montrait vertigineusement sa vérité : ni lisse, ni uni, ni net, ni plat, mais bien, contourné, raboteux, tacheté. Je ne sais pas pourquoi on a fait tant d'histoires en travaux pratiques de « sciences » pour nous prier de jeter un coup d'œil dans un microscope : les petits cônes et les petits ronds paraissaient abstraits, artificiels, en comparaison de cette connaissance nouvelle. Je pouvais voir mon monde de tous les jours de deux manières, prolonger mon premier regard puisque je savais qu'il était dessiné, sculpté, peint autrement.

J'ai dû demander si souvent d'avoir recours à cet instrument qu'il le prit dans sa poche, sur lui. Il faut dire que cela ne tient pas plus de place que la moitié d'un dé. Je savais le déplier, orienter mon champ d'observation par rapport à la lumière, éviter de poser mes doigts sur la lentille, tout cela bien avant de savoir tirer à l'arc ou faire des ricochets.

Par la suite, je fus étonné d'apprendre qu'un objet aussi usuel avait manqué à d'autres. Autour de moi, des enfants le découvrirent avec émerveillement ; leurs parents, souvent avec maladresse et rage. Quelques-uns croyaient même qu'il s'agissait de quelque nouveau « truc » que les écoliers font surgir de leur poche pour vous étonner. Ils demeuraient incrédules quand je disais qu'ils tenaient là le modeste instrument de travail d'un grand nombre de gens. Tisserands, tailleurs, marchands de tapis, imprimeurs, tailledouciers...

Le plus ancien, qui laissait une odeur de cuivre sur les doigts et dont la fermeture était si douce, devait venir d'ancêtres indirects. Ceux qui faisaient à la maison des rubans de soie et dont les bénéfices tombaient à plat un coup sur deux parce que ce dessin ou cette couleur n'étaient plus à la mode chez les soyeux de Lyon. Si la crise durait, ils redevenaient paysans. L'un deux s'expatria à la fin du XVIIIe siècle, sur une belle goélette en direction de l'Amérique. Il n'est jamais revenu. Il n'est pas non plus arrivé. Les voiles et les cordages, et les marins et le capitaine et la coque avaient dû êtres pauvres eux aussi, et la mer féconde en violences.

Une cousine de mon père, un peu extravagante, pointa un jour son doigt sur une gravure genre Boilly représentant une femme enlaçant ses enfants d'un bras et tendant l'autre. Elle affirma que, traditionnellement, on disait dans sa famille qu'il s'agissait là de la veuve de l'expatrié s'écriant en apercevant une voile sur la mer : « Mes enfants, si c'était votre père ! » Mon père ne dit rien sur le moment mais tint à me faire remarquer ensuite qu'il ne fallait voir là qu'un simple sujet décoratif : l'artiste n'avait pas hésité à faire figurer à l'horizon les Pyramides, tout simplement. Je vis ce jour-là à quel point il est difficile d'écrire l'histoire, même à l'échelle d'une famille. Mais je n'en voulus pas à la cousine pour cet embellissement véniel. D'abord, parce qu'elle chantait avec éloquence les louanges du marché aux puces de notre ville, ce qui amenait de l'eau à mon moulin. Ensuite, et surtout, parce que les histoires actuelles et les souvenirs qu'elle racontait à table déclenchaient des fous rires inextinguibles. Quant aux dialogues pittoresques qu'elle rapportait, ils étaient toujours interrompus avec art, quand la vérité historique obligeait à répéter un mot grossier. Elle le disait tout bas à mon père avec tant de soin que même en tendant les oreilles, je ne percevais rien. J'aurais pu lire sur ses lèvres, mais sa main faisait écran. Lui, prenait un air scandalisé tout en pouffant. En revanche, comme le crime était impossible à perpétrer à la ville, elle racontait en entier comment un neveu avait, pour se venger, prié à déjeuner son professeur de latin un dimanche que ses parents étaient absents, en contrefaisant finement l'écriture de la carte d'invitation. Surprise ! Le magister s'était trouvé enfermé dans une petite pièce où l'attendait un taurillon. Robe beige, humeur noire. Le lendemain, l'industrieux enfant resta, paraît-il, stoïque sous le fouet. Peu de temps après, j'eus l'honneur de naviguer à la gaffe sous son commandement, parmi les nénuphars d'un étang, dans un solide tiroir de commode ancienne.

Comme les grands principes de la physique, la simplicité du compte-fils est trompeuse. Je tendis un jour le mien à une dame peinte et qui battait perpétuellement des paupières (« gibier de cinéma », aurait dit la fameuse cousine). D'un geste protecteur, elle arrêta mon explication, car, l'art du tissu étant son « pain quotidien », elle savait. Puis elle posa le compte-fils à l'envers et prétendit qu'elle voyait. Elle devait être au régime du quotidien sans pain.

Un de mes amis m'invita à l'accompagner chez un médecin militaire retraité avec lequel il devait régler je ne sais quelle affaire. L'homme, paraît-il, n'était pas ordinaire. Il avait traversé le Sahara — ou un désert — sur une moto, et vécu longtemps en Afrique.

La vieille bonne disant à la porte : « Je vais voir si le docteur peut... » ne nous fit pas illusion. Non seulement il nous attendait, mais encore il nous avait guettés. Cela se sentait.

Chauve, bronzé, visage ferme, yeux noirs comme réglisse. La vie même. Sa poignée de main était chaleureuse mais sa tentative d'accueil « officiel » fut une catastrophe. Il parlait de thé, Il avait des gâteaux. Mon ami avait le visage déformé par une étrange mimique. Annette, la gouvernante, avoua en grommelant : « Mais, monsieur le docteur, vous savez bien qu'il n'y a pas de thé ici, qu'il n'y en a jamais eu. Je sais pas plus faire ça que vous la broderie. Et les messieurs, même le jeune monsieur (je m'excuse), y boiront bien un coup de marc. Du vieux, de chez Marcel. Ça va pas leur faire du mal... »

Le visage de mon ami... c'était bien simple, on voyait quelque chose, comme du rhum qu'on flambe, dans ses yeux. Ma mine me trahissait tout pareillement. L'ancien médecin colonial se mit à rire, avec un geste qui voulait dire : « Quand on veut avoir l'air noble, cela ne marche jamais, vous voyez. »

Dans de grands verres, notre hôte nous versa lui-même de son marc. Je remarquai son élégance naturelle. Il évoluait avec grâce parmi les meubles Napoléon III, les verreries, collections de sulfures et autres délicats bibelots second Empire. Je lui fis compliment de ce magnifique ensemble.

Il nous dit: « Oui, j'ai gardé cette pièce-là. Non que j'y tienne. Mais il fallait bien avoir un endroit pour recevoir les gens, ouvrir au facteur, au voisin qui apporte le lait, et tout ça. Le reste, je l'ai transformé à mon idée, pour le souvenir... et pour exposer quelques objets dignement. Pour leur faire un « cadre », comme on dit. Pour que tout cela aille ensemble. Je n'aime pas ces gens qui pendent au-dessus de leur piano une peau de lion, un bouclier éthiopien en cuir de rhinocéros, ou un ancien flingot touareg. Comme ça, tout seul. Non, il faut reconstituer l'atmosphère, le silence, l'odeur, la lumière, enfin, tout. Venez voir. »

Alors (exactement comme dans *Mission périlleuse,* ce livre dont on m'avait commencé la lecture pendant une angine trop courte et dont je n'avais jamais su la fin), il écarta un rideau que je n'avais pas remarqué.

Le doute n'était pas possible. Nous nous trouvions dans un café marocain. Tentures, tapis, cuivres, tables basses, coussins, babouches, plateau, théière, verres peinturlurés. Les murs étaient blanchis à la chaux et, dans des niches, le docteur avait installé de petites lampes derrière des plaques de verre bleues, rouges, jaunes et violettes. Une vague odeur de papier d'Arménie... Tout cela jouait un air connu... C'était très exactement un de ces décors de faux cafés d'Afrique du Nord comme on en voyait dans les films qui narraient les aventures des légionnaires ou un estaminet « mauresque » de Paris fait sur ce modèle.

La pièce suivante était une « évocation africaine » selon les propres termes de l'ancien médecin colonial. On entrait dans une tente brune et noire en poil de chameau. Tout le matériel des nomades répondait à l'appel, du long fusil à pierre à la minuscule casserole, du fuseau aux sandales de cuir.

Le docteur nous expliqua qu'après un essai de traversée du désert à motocyclette — qui s'était terminé de façon heureuse grâce à la rencontre de quelques chameliers — il avait rejoint son poste en Afrique. Il évoqua pour nous la majesté des forêts africaines, leur silence presque effrayant à certaines heures du jour, les randonnées en pirogue, les rameurs qui semblaient des statues de bronze, le rire des Africains qui les pliait en deux, désarmés. Les animaux sauvages entrevus. Aussi les longues marches pour aller vacciner des villages entiers. Et ce jour qu'il n'était pas près d'oublier : on l'avait pris pour un sorcier parce qu'il avait délivré un vieillard d'un kyste gigantesque à la nuque. Le médecin imitait alors le porteur d'une citrouille imaginaire : « Atlas, la statue, vous savez. »

Il demanda notre indulgence pour la pièce suivante, pas tout à fait au point selon son goût. C'était une case africaine, et de belle taille. L'ex-médecin-major nous expliqua qu'il avait lui-même découpé le plafond de façon à obtenir une case de hauteur réglementaire. Toit en paille, poutres, mur en crépi genre terre glaise. Pour le sol, c'était encore inachevé ; on marchait sur le parquet Napoléon III d'origine. Il s'en excusa. Ce qui frappait surtout, c'était la solide couche de rouge sang de bœuf dont on avait recouvert les poutres et le pilier central. Il y avait de quoi tomber. Comme s'il m'avait deviné, l'ancien toubib vint s'appuyer contre ce pilier et le caressa de la main.

« Toute une histoire pour l'avoir. J'ai profité de ce que l'on venait installer une ligne téléphonique — j'avais un ami là-dedans — pour demander un poteau de plus pour moi — en le payant, bien sûr. » Il sourit : « Et ce n'est pas tout. Regardez. » Il se pendit comme un sonneur à une corde qui passait dans la gorge d'une grosse poulie. Miracle ! Grâce à un ingénieux dispositif articulé, le pilier central se souleva et vint se plaquer contre la poutre horizontale.

« Il faut vous dire que, lorsque le premier pilier a été installé, cela a été une affaire. Le lendemain, la vieille Annette, celle que vous avez vue tout à l'heure, est venue me trouver dans le petit salon. Le regard fixe, toute raide d'indignation (je ne l'avais jamais vue comme cela, même aux pires moments), elle répétait : « Ce coup-ci, Monsieur le Docteur, je m'en vas, je vous le rends, mon tablier. Balayer autour de cette engeance, de ce pilier comme vous dites, de cette grande bûche, cela me donne le tournis. C'est peut-être vos idées, mais moi, cela me rend folle. »

« Alors, j'ai fait comme on aurait fait en Afrique. Du solide et du simple. Facile à exécuter et qui dure. J'ai fait scier le pilier au milieu. On a ajusté une charnière de courroies puis posé la poulie. Cela ne change rien à ma case africaine et la vieille Annette est contente. Le matin, je remonte le poteau avant qu'elle passe le balai. Elle est tout de même là depuis vingt ans... et puis, vous savez il faut comprendre... les gens âgés ont leurs idées. »

La maison solitaire est adossée à un bois ; sur le côté, elle est comme défendue par la sauvagerie des ronces ; en remblayant jour après jour par-devant, j'avais constitué une plate-forme que des lilas vivaces séparent du grand creux de la plaine. Ces arbres me font penser à de curieuses maisons anciennes calées dans une pente : d'un côté, c'est la porte et le rez-de-chaussée, mais la fenêtre surplombe le sol de trois bons étages.

Pour cueillir les belles grappes de fleurs il fallait garder cette configuration présente à l'esprit : une branche en faisait découvrir une autre et, finalement, c'était le plongeon. Ce petit ermitage où j'ai tant de fois lu aux bougies en écoutant s'effondrer les châteaux de braises était relié à la route par un raidillon raboteux et introuvable.

Quand il y vint pour la première fois, il me demanda si j'étais content de mon acquisition. Il inspecta, puis sourit en hochant la tête : le lieu devant me convenir, car il n'y avait vraiment pas moyen de prendre « cela » pour autre chose. « Quand on achète *cela*, c'est qu'on le veut bien. » C'était un peu sibyllin, mais la vérité même. Il me regarda faucher de hautes herbes sèches et rassembler des feuilles mortes. Appuyé sur mon outil, j'épongeai ma sueur près de lui. Assis sur un banc de pierre, à l'ombre, il leva les yeux vers moi : « C'est un endroit à faire de la fausse monnaie. » Tandis que le feu réduisait tout cet encombrement à un rougeoiement impalpable sur fond noir, un paysan apparut. Ayant aperçu la fumée, il était venu en voisin, et rassuré de voir des gens : il avait craint que ce soit le Feu, avec un grand F, le feu tout seul. Et comme nous lui demandions, mon père et moi, un peu d'histoire de cette maison, il y eut un malaise dans l'air. Je pensais à une souche que le laboureur contourne en traçant son sillon. Une période manquait... eh bien, tant pis, ce serait pour une autre fois... Mais les dieux en avaient décidé autrement. Deux garçons nous avaient accompagnés, avec mission de fouiller partout, de la cave au grenier. De la même façon que, dans un village que je connaissais, tous les chiens s'appelaient *Réveillot,* car, paraît-il, cela leur donne le cœur matinal à l'ouvrage, j'avais surnommé l'un des deux jeunes enquêteurs : *Doublœil et mollet diligent*. Après les chaussures, les douilles de cartouches de chasse, le balancier d'horloge, les bouteilles de médicaments, il se montra à la hauteur de son titre par la qualité de la trouvaille mais plus encore par l'opportunité du coup de théâtre. Il me tendit une carte postale tirée en sépia intitulée *La Truyère avant la mise en eau du barrage*. C'était à l'autre bout du monde. Il ajouta qu'il en avait trouvé une centaine. Notre visiteur nous expliqua alors qu'un des précédents maîtres du lieu, le meilleur homme du monde au demeurant, et dont il ne voulait rien dire, avait eu une histoire (un peu compliquée et difficile à saisir) de fabrication de cartes postales. Enfin, de fausses cartes postales, si vous voyez ce dont je veux parler.

Un dimanche d'automne, mon père, craignant la venue soudaine du froid du soir, partit avant moi. Je l'accompagnai dans le petit chemin où je n'aimais pas le voir seul. La vipère rouge se tenait à la limite de la terre et du goudron, telle une lettrine S en haut de page. Je la pris derrière la tête. C'est une chose que j'avais apprise de la meilleure façon : un berger comme maître, les moqueries en cas d'échec. Tantôt la bête pendait comme une corde, tantôt elle serpentait sans fin. Comme mon regard demandait : « Et alors, maintenant ? » il dit : « Si tu la laisses ici, tu vas la retrouver chez toi, elles aiment les pierres au soleil autour des maisons. » Je cueillis une baguette, posai sur le sol cet animal qui ne se compare à rien, faiseur et défaiseur de sa propre forme et, d'un coup sec derrière sa tête plate, je l'immobilisai.

Je ne comprends toujours pas ce qui s'ensuivit. Cinq minutes auparavant, il était pressé de partir. Je savais qu'il détestait le petit chemin. Il me demanda si je me souvenais qu'il m'appelait « mon petit naturaliste » quand j'étais enfant. Et puis : « Nous allons remonter chez toi et tu vas me la disséquer, dehors, sur le banc. » Aussitôt fait que dit. Le couteau avait été aiguisé à la pierre ; le fil présentait donc quelques aspérités : il accrochait au lieu de faire rouler sous lui. Certes, je m'efforçai de n'être point maladroit, mais ce détail me para d'une véritable maîtrise. Comme les prestidigitateurs, je gardai l'avantage de ce hasard pour moi. Redoutables crochets, finesse de la peau écailleuse, solidité de la seconde enveloppe transparente à travers laquelle on voyait tout bien rangé. Le gosier dilatable et la suite des organes disposés en chapelet dans cette sorte de sous-marin. Tout en me disant que je ne l'avais jamais vu vider un lapin, un poulet ou un poisson, je le regardais. Il était penché en avant, très près, tenant ferme le fil de la leçon d'anatomie, nommant les organes quand il était sûr et sans que jamais un détail ne lui fasse oublier l'ensemble.

Prolongées par deux minuscules baguettes taillées en pointe, mes mains, elles, exécutaient.

Pêle-mêle, c'était le nom que l'on donnait à ces cadres ouvrants où l'on pouvait faire se chevaucher au fur et à mesure de leur arrivée, les photographies des proches. Il fallait quelquefois trouver de la place : les nouvelles présentations obéissaient à de mystérieuses lois. Personne n'empiétait sur une belle cousine en robe à fleurs, gracieuse sur sa chaise de jardin. Leur corps dissimulé, de beaux militaires prenaient des visages de civils. On aimait les images montrant les êtres tels qu'on les avait connus, chez eux. Et aussi les clichés révélant ce que l'on avait ignoré, le passé, mais aussi l'ailleurs : deux amies devant une fontaine de Rome, un jeune homme visiblement fiévreux près du Bouddha couché de Ceylan. Une tête juvénile se surimposait à une photographie de bébé : la même personne. Aussi les mystères : une main en l'air, coupée, dans l'image extraite d'une photographie de groupe. Et cette carte postale de façade où l'on avait marqué une fenêtre d'une croix.

Ainsi, dans ce puzzle qui est dans un certain ordre parce que dérangé, parmi les éclats de miroir de la mémoire, il y a le tampon en relief qui occupe un bambin accroupi sous une table, la passion communiquée à un adolescent pour *Souvenirs de la maison des morts,* la façon de tomber infailliblement sur la bonne page des livres, le sourire en évoquant les « épaules » si douloureuses aux paysans (le mot désignait une enclave étrangère dans une terre), l'admiration pour le courage vrai, la frousse de la chimie pourtant passionnante, parce que lorsqu'il faisait sa médecine, on reconnaissait ceux qui la pratiquaient à leurs mutilations, le flair tranquille qui fait deviner un homme tenant la plume de Mariana, les rêveries longues devant les bateaux, les pianos inconnus écoutés le soir dans la rue, le goût pour l'harmonie reposante de Poussin (*Et in Arcadia*...), cette oreille juste qui lui faisait dire : « Ta mère est dans le clocher », alors que dans une petite ville où nous nous étions séparés un moment, les habitants se mettaient à regarder en l'air en entendant le carillon marteler gaiement *J'ai du bon tabac* et puis *Compère Carabi*, la manœuvre interminable des écluses pour des péniches qui transportaient incompréhensiblement les chevaux qui étaient là pour les tirer, ces notes de Desmarets, dont la lumière grave brillait encore après la disparition du professeur de musique au cœur si pur mais dont le pauvre visage faisait peur aux enfants, les pique-nique devant des « vues » et sa façon de tendre bouché le tube d'aspirine contenant le sel pour les œufs durs.

Un dimanche d'avril, je lui parlais de livres d'art, disant que j'aimerais en faire un, s'il n'existait déjà, uniquement sur le thème des *Pèlerins d'Emmaüs.* Pour en lire chaque détail bien voulu par le peintre comme dans le tableau de Bergame où il manque un couteau devant le voyageur de rencontre. Il a toute raison de rompre le pain. Et le regard du serviteur de Rembrandt suivant les mains sur la table... Il disait la magnifique densité du style, le don de faire voir les scènes, quand il s'est interrompu pour me demander si je me souvenais du passage. Nous avons commencé à le reconstituer. Lorsque nous avons voulu contrôler sur le texte, il m'a demandé de le lire à haute voix et il a répété : « Notre cœur n'était-il pas brûlant lorsqu'il nous parlait ? »

A quelques minutes près, ce jour-là, j'ai manqué mon train. Je suis revenu et nous nous sommes réjouis des moments donnés en plus.

On cite souvent la belle histoire du prince Gengi qui, au cours d'un voyage, fait quelques pas hors de sa litière et revient y prendre place en pleurant. Son serviteur lui demande la cause de son chagrin. Il répond qu'il a légèrement effleuré un arbre couvert de neige. Deux étoiles minuscules sont venues se poser sur le velours noir de sa manche. Tant de beauté et personne à qui le dire. On ne prend pas garde à la blessure de ce mot-là.

La semaine suivante, j'étais de nouveau dans le train, un livre à la main. Une erreur dans une citation latine, au fil d'un texte au ton protecteur m'a fait sourire. « Je dirai à... » mais j'étais en noir, j'allais à la rencontre de son visage éternellement paisible et de ses mains glacées. Même le paysage était trop. Dans mes mains, mon visage rentra à l'intérieur.

Le morceau de musique venait de s'achever. Une voix répétait ce prénom de musicien qui m'avait entraîné au loin. Jusqu'à ce petit balai d'herbe verte que l'on glisse sous la manche d'un enfant, au poignet, en lui prédisant que c'est à l'épaule qu'il le retrouvera.

Nous avons beaucoup parlé ensemble, de nombreuses fois, à des époques différentes. Nos dialogues aiguisaient chaleureusement nos différences. Ces pages contiennent tout ce qui est revenu tout seul. Des histoires anodines, des instants minuscules. Rien à vérifier. C'est si simple, un enfant porté par un homme.

Un jour, il avait serré fort mon bras dans cette rue du Temple qui sentait le vinaigre avant les orages et, le visage bouleversé : « Vois-tu, je ne peux pas me faire à l'idée de ne plus te voir jamais. » Je devinai les angoisses des nuits à écouter un cœur trop battant, à redouter « quelque chose au cerveau » et les déchéances, en attendant la délivrance du jour. Il n'avait jamais eu de tels mots.

C'est vrai qu'elle se tenait toujours là entre nous, la pudeur, invisible, sûre, et faisant que j'étais si bien auprès de lui.

ACHEVÉ D'IMPRIMER
LE 20 SEPTEMBRE 1979
SUR LES PRESSES
DE L'IMPRIMERIE SEG
92320 - CHATILLON

Numéro d'édition : 1198
Dépôt légal : 4e trimestre 1979
Numéro d'impression : 1059